彼女はなぜ「それ」を選ぶのか？

世界で売れる秘密

What Women Want - The Global Market Turns Female Friendly

パコ・アンダーヒル
Paco Underhill
福井昌子訳

早川書房

彼女はなぜ「それ」を選ぶのか？

——世界で売れる秘密

WHAT WOMEN WANT

The Global Market Turns Female Friendly

by

Paco Underhill

Translated by
Shoko Fukui
First published 2011 in Japan by
Hayakawa Publishing, Inc.
This book is published in Japan by
arrangement with
Writers' Representatives, LLC
through Japan Uni Agency, Inc., Tokyo.

装幀　重原 隆

伯父のトビーと伯母のオーブリーに。感謝と愛情を添えて

目次

日本の読者へ

二〇〇一年に初めての書き下ろしが早川書房から出版されることに決まったとき、それがどれほど特別なことなのか、よくわかっていなかった。アメリカのエージェントとの会話は今でも覚えている。ミステリや犯罪小説を扱っている日本の出版社が、消費行動について書いた本の版権を買っただって？　早川書房にとっては思い切った買物だったが、その後の私の人生において、個人的に最も充実した出来事のきっかけとなった。それは、それ以来続いている日本や日本人との関係である。

私の経営するエンバイロセル社は、二〇〇二年から日本に支社を置いている。だが、日本での成功の第一歩は、『なぜこの店で買ってしまうのか――ショッピングの科学』が爆発的に売れたことだった。この本が私と博報堂を引き合わせることになり、もう一〇年以上も同社のアドバイザーを務めさせていただいている。二〇〇八年には、外国人としては初めて、博報堂フェローを拝命した。非常に光栄に思っている。

日本に独特の論理と精神があることはよく承知している。禅のような一切の無駄を排除したものから、茶道のような複雑に込み入ったものに至るまで、私は、潔さを保つことを学んだ。同時に、人の密集した島国においては、作法が重要で、礼儀正しくあるのみということも知った。

理解できないのは、現代日本と日本人女性との関係である。本書は、種としてのわれわれが性と生殖とを切り離したことを前提としている。その善し悪しを言うつもりはないが、雑誌から映画、ゲーム、ファッションに至るまで、私たちはすでに新たな世界に入り込んでいる。これは、出生率の低下や、誰が何を担当するかという役割分担にも見出せる。多くの先進国を見れば、女性はビジネスや政府機関、軍においてさえも、重要な地位につくようになっている。本書で触れたように、ヨーロッパや北米の高等教育機関においては、学生の六〇％以上は女性だ。男性だけに開かれた職業や、男性限定のゴルフ場さえも時代遅れのシロモノである。二〇一一年春、ＮＡＴＯがカダフィ政権率いるリビアを空爆した際、それを指揮した空軍大将は女性だった。世界が大きく進化し、革命的とも言える状況にあって、日本の女性はどこにいるのだろうか？

これに対する答えは複雑だ。日本人女性に購買力があることは十分に裏づけられている。なのに、日本の百貨店の役員室に入ってみて、女性がほとんどいないことを知ってびっくりした。男性のみによる経営体制で、女性消費者のニーズを理解し、把握することは、果たして可能なのだろうか？

女性は、家族のために買物をするだけではない。ハンドバッグや化粧品を買うだけでもない。自動車や電化製品、旅行ツアー、株や債権も買っている。直接購入することはないとしても、影響力はある。マーケットリサーチャーのはしくれとして、女性に焦点を合わせることは、世界の他の国と同様に、いや、おそらく世界のどの国よりも、日本においては重要だと思う。

日本人の女性は、とてもセンスがいい。パークハイアット東京のロビーだろうが、原宿の裏通りだろうが、他では見られないような上品さから、ギョッとさせられるような感性に至るまで、さまざまな形でそうしたセンスが表れている。これは世界のどの国とも違う。同じ服を着ていても、周りに合わせたいと思うことも、自分らしさを出したいと思うこともある。本書では、女性の買物客を取り上げたが、そうした女性を軽視するつもりはまったくない。実際、種としてのわれわれは、特に、どの時代よりも世界が急速に変わったこの三〇年間、女性が及ぼしてきた影響を免れてはいないのだから。

何人かの同僚は、日本の女性はいつでも強いと言う。ほとんどの家庭では、女性が財布のヒモを握っているからだ。ラーメン店が人気なのは、「サラリーマン」が昼食を手頃なラーメンですませ、浮いた分を飲み代にまわしているからだということに気がついて、なるほどそうかと思ったものだ。日本はこれまで、女性が影響力を持ち、統率する権限をもてはやしてきたではないか。一三〇〇年ほど前、何人かの女性天皇が統治していた黄金時代を思い出してもよい時期ではないだろうか？

他の先進諸国を見回せば、女性の力を生かしている国はいくつもある。北欧諸国では、国家公務員の半分以上が女性だ。そうした女性がいるからこそ興味深い結果を生んでいる。そうした政府は効率がよい好例だとするアナリストは一人ではないし、世界的にも汚職の少ない政府だと位置づけるアナリストもいる。民主主義が、始まりと終わりが明確な、男性による駆け引きであって、勝者と敗者をはっきり分けるものであるならば、女性による公共サービスには終わりがなく、しかもそれは合意形成に重きを置くものである。日本や私の母国アメリカ、それに他の諸国において、今以上に必要となるものは女性による公共サービスであり、今ほど必要とならないものは男性による政治だ。

親しくしている日本人の同僚をニューヨークの我が家に泊めたとき、彼がこれまで自分でコーヒーを入れたことがないと知って驚いた。この同僚は、エスプレッソマシンの使い方を教えられておもしろがっていたし、台所仕事がこなせるようになれば自信がつくこともわかってご機嫌だった。彼は、妻と離婚してからその瞬間まで、ほとんどの買物をコンビニエンスストアですませていた。しかも買うものといえば、おにぎりとおいしくないコーヒーくらいだった。だから、私が買物にでかけ、夕食の支度をし、自分で何でもできることを知って感心していた。男が台所に立つのは、もはやジョークのネタではない。そして、女性が世界を変えつつあるとしたら、その恩恵を一番に受けるのは、今も昔も男性なのである。

本書については、いろんな人が感想を言ってくれるが、そのほとんどは、おもしろかったよ、というものだ。おもしろいけど、後ろめたい気になるね、と言う人もたまにいる。本書には、買物に関係する場だけでなく、われわれの世界観まで変えてしまうような事実やアイデアをもりこんだ。こうした情報は、今という時代における黄金時代に備える一助になると思う。変わらないものなどこの世にはないのだから。この流れに乗っていただけることを願っている。

はじめに

女性が世界を変えた

世界中をまわっていると、どこでも目にすることがある。女性の影響が文化にも、社会にも、経済にも及んでいるということだ。

はげ頭の中年で、生まれたときからもごもごと話す小売業オタクとして、マルコム・グラッドウェルに『ニューヨーカー』で「間の抜けた格好をした」と書かれた私は、大きなコンベンションや社内会議、保養地や祝賀会などで何度もスピーチをしてきた。そうした仕事は年に四〇回ほどにもなる。商売になるし、メディアの注目を集める手にもなる。私は、どのスピーチでも、必ずこれを言う。

「私たちが住む世界は、男性のものであり、男性が作りあげ、男性が支配するものです。女性が積極的に関わるなど、頭にありません」

笑いが起きる。うなずく人もたくさんいる。男性でも女性でも、身に覚えがあるからだ。シンガポールからテキサス、ドバイからメキシコシティ、ダブリンからサンパウロなどで、私が問いかける大事な質問の一つはこれだ。「パッケージや製品、空間、デザイン、あるいはサービスを〝女性向け〟にするものは、いったい何でしょうか？」

挑発するつもりも、見下すつもりもない。道徳を持ち出したり、フェミニストの問題を取り上げたりする気も、さらさらない。

世界のあちこちで、社会においても職場においても、女性の存在感が大きくなっていることを認めているだけだ。状況は急速に変わっている。現実の世界でも、世界中のマーケットでも目にしていることだし、私は、この状況に対応し、解説するのにちょうどいい立場にある。実際に目にしているかどうかは関係ない。パッケージでも、車や電化製品、衣服でもそうだ。家庭やホテル、職場、店、レストラン、娯楽施設といった場所や、ネット販売やお手伝いさん、銀行やレンタカーといったごく日常的なサービスにおいても。

数値でみる女性の影響力

女性が文化に及ぼす影響については、すでにお気づきかもしれない。うすうす気づき始めたところかもしれない。だが、そうしたことが積み重なれば、その影響は驚くほどになるし、劇的な結果になることも多い。

一例をあげよう。これをご存知だろうか。

アメリカ人女性の約七〇％は外で働いている。

女性が握るのは、世界で動いているお金のたったの数パーセントどころではない。動いているお金とはつまるところ給料だが、女性は家計費という名の不労所得や、相続分などのほとんどを握っているからだ。

女性は高等教育でも多数を占める。アメリカとカナダでは、多くのカレッジや大学では六対四で女性が多い。

今日、記録的な数の女性が工学、物理学、コンピュータサイエンス、生物学、臨床心理学を学んでいる。

ビジネスのトップも、医療や法律、科学でも女性が増えている。これは一九七〇年代から見られる傾向だ。弁護士や医者、建築家になるための教育プログラムを女性が大幅に変えてきたからだ。これでも、これまで男性がついていた典型的な職業のわずか一握りに過ぎない。

ピックアップ・トラックは別にして、女性は、よく売れたデトロイト産のあらゆる車種に影響を及ぼしている。ファミリータイプのミニバンにも、戦車に監視機能を組み込んだようないわゆるＳＵＶという頑丈な大型車（これは、マッチョな車として売り出されたものではない）にまで。

女性は家庭も会社も切り盛りし、驚くほどの人数の女性がビジネススクールに通っている。昨今、出張にでかける人のなかでも女性の割合は増えている。

アメリカで書籍を買う大半は女性である。

女性は家族全員のために食べ物を獲得する。ファーマーズ・マーケットやオーガニックフード運動を裏で支えるのも女性だ。

女性は家族の社会生活の計画を立てる。学校の休みにあわせて、家族でビッグベンド国立公園にキャンプに行くか、ナンタケットで日光浴をするか、家で過ごすかを決定するのは女性なのだ。女性は映画やテレビ番組も制作するし、自己流のお笑いも練る。芸術も音楽も生み出す。

確かに、こうした例のいくつかは他よりも目につきやすいが、まったくの裏方もある。例えば、オーガニックフード運動を軌道に乗せた手法。現在の娯楽産業全体で男女の賃金格差が残っているにもかかわらず、ティナ・フェイは頭のいい女性脚本家であり、コメディアンでもある。彼女は、この間の大統領選挙を完全に揶揄してみせた。

男女間の性差が完全に平等になることはありえない。だが、女性は距離を縮めつつあるし、それは今後もっとはっきりしていくだろう。

女性への配慮がカギ

会社を経営する男性が女性の力と影響力を察知できなければ、とどのつまりは、お客の意向を読み取れなかったということだ。ショップやレストラン、銀行、ホテルのロビー、ショッピングモール、その他の公共スペースや施設が、女性という要素を織り込まず、入りやすくて、くつろげて、ホッとできて、安心できて、清潔だと思わせて、配慮を感じさせて、好きなようにコントロールできるんだわ、と女性を納得させることができなければ、そして、女性が何を望み、何を期待しているのかを考慮しなかったら（男性が望んで期待していることとはまったく別物だ）、ビジネスとしては失敗なのだ。加えて、非常に影響力の大きい消費者の大半を、永久に失うリスクを負うことにもなる。彼女たちは、試着室が汚かったとか、電気が暗かった、ホテルのロビーは気味が悪かった、カスタマーサービスの愛想が悪かった、鏡がくもっていた、あるいは鏡そのものがなかったとか、二級市民のような対応を受けた憤りなどを、友人知人に大喜びで、しかも上機嫌に報告するから。

私の経験では、女性は口コミを広めるのがとてもうまい。

男女の賃金格差の逆転

二〇〇五年、摩訶不思議な統計が飛び出した。歴史上初めて、アメリカ最大都市のいくつかで、三〇歳以下の若い女性の稼ぎが男性を追い越したというのだ。

この変化は一九九〇年代終わりに、ロサンゼルスやダラスなどの都会で始まった。二〇〇〇年までにはニューヨークに飛び火し、男女の賃金は事実上互角になった。その五年後、ニューヨークの五地区の一角に住む二一歳から三〇歳までのフルタイムで働いている女性の給与は、同じ職種で働く男性の一一七％になった。言い換えよう。三万五六〇ドルという中程度の賃金を稼ぐ男性に比べて、同じ職種の女性には三万五七五五ドルが振り込まれているということだ。テキサスは金儲けも髪型も何でもかんでも無駄に大きいわけじゃない。ダラスでは、女性の賃金は男性の一二〇％である。これはアメリカ国内で最も高い。

男女間の賃金格差？　今でも、それが現実であることは誰でも知っている。しかし、オバマ大統領は二〇〇九年初め、賃金平等法案に署名した。ジェンダーを理由にした賃金格差を終わらせるための法案だ。遅すぎるくらいだろう。

女性の経済力の上昇は、世界の雇用者数に比例している。アメリカから始めると、二〇〇九年現在の失業率は八・五％だが、二五歳で就職している可能性は男性よりも女性のほうが高い。この可能性は、移民やアフリカ系アメリカ人、スペイン系を考えなければもっと高くなる。厳しい経済状況であることも女性が好まれる理由だ。最近の景気後退の結果、解雇されたうちの八二％は男性だった。建設や製造業などの業界で圧倒的に多くを占めていたのが男性だからだ。歴史的に女性は教育やヘルスケアといった業界で働く傾向があるが、こうした業界は景気の変動を受けにくい。

海外出張にでかける楽しみの一つは、さまざまな国でジェンダーの違いがどのように表れているかを目にすることだ。ブラジルはアメリカと同じく、男性の失業率は女性の失業率よりもはるかに高い。フィリピンでは、下層階級の女性は世界中で家政婦や子どもの世話などの仕事を見つけることができるが、十分な教育を受けていないフィリピン人男性は完全に取り残されている。

間違いのない事実を挙げよう。高等教育を受けていれば、高給の仕事にありつける可能性は高くなる。男性でも女性でも、高校をうまく乗り切れなかった人の失業率は七三％前後だ。高校の卒業証書を得れば、なにかしらの仕事を得る確率は五％近く高くなる。だが、カレッジや大学院の学位があれば、就職の口は枚挙にいとまがない。

カレッジや大学院で女性がはるかに多い理由の一つはこれだ。現在アメリカでは、大学の学位をとる男性一〇〇人に対して、女性は一四〇人いる。この差は今後も広がっていくだろう。一九六九年から二〇〇〇年までで、大学を卒業した男性はわずかに三九％増えただけだった。同じ期間で女性の卒業生は一五七％も増えている。女性は今日、中等教育以上の教育機関のすべてで事実上、男性より多い。また、ある研究によれば、アフリカ系アメリカ人のコミュニティでは、大学を卒業した男性一人に対し、女性は二人いるという。

理由の一つは、若い男性に広がる学習障害のせいかもしれない。二一世紀はじめの時点で、男児は女児に比べて二・五倍近くも読字障害になる確率が高かった。失読症と自閉症障害はどうかって？　女児の六％に対して、男児は一〇％だ。アメリカでは男児は女児の三倍近くも特別支援教育を受けさせられている。同じ学年を繰り返さなければいけない傾向は二倍も高い（両親の年齢やその教育程度といった社会人口学的要因によってこうした統計は変わるに違いないが）。

それにＡＤＨＤもある。注意欠陥多動性障害だ。集中力の欠如、衝動的な反応、落ち着きのなさ、注意力散漫など、その症状はさまざまだ。誰のことかって？　ほとんどは男児。これは本当だ。原因を突き止めた人はいないようだが、たくさんの見解が議論されている。教育関係者のなかには、幼稚園から六歳くらいまでの子どもの教室内での行動基準を、しーーっ……集中して……注目……だとしている。――若い女性の平均的な気性はまさしくこれだ。小さな女の子のほとんどは、きちんと座っていられる。男の子は、もじもじそわそわ、空想にふける子もいる。これは多動性や失読症のことだが、小さな男の子の場合、たいがい、教室のなかでは普段どおりでいられない。女の子はうまくいくのだが。最終的にはこれが、教育に関して女性が大きく前進していることの説明になるかもしれない。

妊娠・出産からの解放

女性が職歴に関して、それほどまでに前進しているもう一つの重要な理由としては――強調しすぎることはないと思うのだが――赤ん坊だ。というより、赤ん坊がいないことだ。あるいは、どのような場合に、いつ、誰と、子どもを作るかという選択肢があるということ。われわれは、人類史における魔法の一線を越えたのだ。避妊のおかげで、人間は性を生殖から切り離し、生物学に背を向けた。女性の性的、つまり生殖に関する性行動が変化し、解放されたということだ。疑うなら、『セックス・アンド・ザ・シティ』をワンシーズンかツーシーズン分借りてみるか、映画版を観るといい。カレッジを卒業し、それ以上の学位を取った多くの若い女性は、カップルになることにも、落ち着くことにも焦らなくなる。その結果、時間も住む場所も、勢いもあり、キャリアを積むだけの余裕も、それによって十分なお金を稼ぐことも、少なくともアメリカの大都市であれば可能になる。大都市では、結婚して子どもを産むという社会的なプレッシャーは小さな都市や地方ほど大きくないからだ。

人生において生殖面をコントロールできるようになったおかげで、東アフリカの洞窟で暮らしていた頃の人間が前提にしていた点のいくつかが大きく変わった。いい悪いの問題ではない。実際にそうなのだから。

こうした結果、私たちが知っているようなこれまでの世界も変えてしまったのだ。

兵士も稼ぎ頭も女性

筋力は、男性がことあるごとに持ち出してきたものだ。だが、そうだな、スコットランドの丸太投げは別として、農業や軍など、歴史的にばか力を必要としてきた多くの世界では、募集要項に「筋力」を挙げなくなっている。少しずつデジタル化された世界では、たくましい二頭筋や三頭筋は重視されなくなっているからだ。これは、海岸で恋人を守ろうとした体重四五キロの弱っちい男や、かつては男の筋力を必要とした仕事をするだけの能力のある女性からすれば、喜ばしいニュースだ。

軍に当てはめてみようか。最近の空軍兵士とは？　アメリカ空軍の新型プレデターのパイロットが女性である確率は、かなり高い。長時間滞空型で中高度遠隔操作というこの航空機システムは、重要ターゲットの空中偵察や武装偵察で使われている。その画像は瞬時に前線の兵士に送られる。乗組員は、パイロット一名、センサー操作が二名だ。データリンクが非常に高性能になったおかげで、地上のコントロールセンターから航空機を操縦できるようになった。プレデターは、レーダー、赤外線カメラ、レーザー誘導型ＡＧＭ－１１４ヘルファイア対戦車ミサイルを二発搭載している。ここでは二頭筋を鍛える必要はない。ただ、賢くて集中力があり、熱心で、頭の回転がはやく、精確さがあればいい。誰か、「女性」って言った？

稼ぎ頭としての女性も、比較的最近の概念だ。女性は常に働いてきたのだが、経済力、つまり、どんなものであれ自分の欲しいものを買える主体として女性が幅を広げてきたことが、革命的で急速な展開なのである。女性が子どもを持たないと決めたならば、彼女たちの収入は自由になり、他のことに費やせるというわけだ。

女性の経済力の別の側面は、給与所得ではなく不労所得だ。給与所得とは、女性の重役や労働者が稼ぐ給料のことだ。不労所得とは、相続財産や、ヘッジファンド担当者として週七〇時間も働いた夫が、六四歳の時にスカッシュコートで心臓発作をおこして妻に遺した財産のことだ。アメリカでも日本でも、巨額の不労所得が女性の手に委ねられている。もちろん、女性はお金を使う。まず、遠出をする。豪華な温泉旅行に出かける。卒業した高校や大学に寄付をする。孫にモノを買い与え、私立学校の学費や大学の授業料を出してやったりする。

女性なら、ホテルやレストラン、ガソリンスタンド、美術館、ショッピングモール、銀行、自動車ショールーム、衣料品店などに気前よくお金を落とす。これでも、思いついたものだけだ。ただし、男性の責任者がこうした場所をもっと女性好みにすれば の話だが。

率直に言って、あらゆる女性の要求が込み入ったものだとは思わない。いくつか挙げてみようか？

清潔であること

女性という種が好み、重視するのは――要求すると言ってもいいかもしれない――清潔さだ。これは生まれながらの好みと言える。ほぼすべての女性が瞬間的に、「清潔」なのか「不潔」なのかを記憶する。「私が今いる場所は清潔？」とは、世界中の女性の大半が直感的に頭に浮かべる問いであり、暗示であり、第六感だ。自宅の部屋、頻繁に通う小売店、試着室、食事をするレストラン、スーツケースを置くホテルの部屋、会員になるスポーツクラブ、水中ウォーキングで使うプール、身体を洗うバスルーム、こうしたあらゆる場所について感じるのだ。

なぜかって？　考えてみれば、清潔さは、生理用品や子育て、食べ物を買い、食事を作る際に当然に重要な点だから。歴史的に見れば、私たちが狩猟採集民であった時代までたどることができる女性の職業なのだ。こうした清潔さに気を配るのは、看護職も同じだ。体液や排泄物を扱うことが必要な、歴史的な女性の職業だ。

二年前、私は週に二晩だけ老人医療センターでボランティアをした。重病の老人の周りで働いたのだ。仕事から家に戻り、また出かけていったわけだが、非常にやりがいがあった。病院で受けたトレーニングで重要だったのは、患者と少しでも接触したら自分の手をきちんと洗うことと、その洗い方を私たちボランティアに教えることだった。男としては、水で指をぬらし、石鹸を泡立てて手をこすり、すすいだ後にジーンズで手をふけばいいと思っていた。とんでもない。正しい洗い方はこうだ。（一）乾いたペーパータオルで蛇口をひねる、（二）「ハッピーバースデイ」を歌いながら（終わりまで）石鹸で完璧に手を洗う、（三）手を流し、同じペーパータオルで蛇口をしめる、（四）そのペーパータオルで手をふく。

男性が一日に何回もこれを繰り返せば、多くの女性が習慣とし、日常生活で期待する清潔さのレベルがわかるはずだ。清潔さは女性にとって重要な問題だ――これ以上にはっきりしたことはないだろう？　私も含めた多くの男性は、母親やガールフレンド、妻のおかげで生涯にわたってこれを身をもって学んでいくことになる。

調節できること

男性であれば、私にずっと運転させろと言い張る女性と付き合ったことがあるのではないだろうか。たまに運転を譲ってくれるときでも、そういう女性は道中、温度やエアコンを調節するボタンをいじっているものだ。適度な温度にすることは絶対にないのだが。ラジオで流れる歌にしても、低音を低くする方法はないかと、女性に尋ねられたことはないだろうか？　空港ターミナルからショッピングモールや映画館、売場に至るまでのさまざまな環境で目につくのは、決められた設定に不満を感じる多くの女性の姿だ。設定して操作しているのは、まず間違いなく男性の管理チームだろう。

繰り返すようだが、女性は必ずしもこうしたことを変えたいと思っているのではない。彼女たちが求めているのは、選べることなのだ。当然ではないか？

同じく、調整の問題は、座るという考えにも登場する。動かせる座席が嫌いな人はいない。急いで動こうとしているからではない。単に、動くかどうかを知りたいだけなのだ。現在、ニューヨーク・タイムズスクエアの大部分は、自動車を締め出している。赤い鉄でできた可動式の椅子が歩行者通路に沿って置かれている。通行人は、その椅子を好きなように動かすことができる。多くの場所や待合スペースでは椅子は床に固定されていて、ジャックハンマーがなければ動かすことはできない。そして、ほとんどの女性はジャックハンマーなど持っていないのである。

安全であること

頭を使わない男性でも知っていることなのに、本当には理解されていないことがある。男性の多くは、普通の女性より力が強く、言うまでもないが、身体もでかい。つまり女性は、男にはどうもぴんとこないのだが、自分の身が安全であるかどうかということに敏感だ。ロビーの明るさや駐車場の電球切れ。鍵の閉まっていないアパートやホテルの窓。たとえ、その場所が地上四メートルほどのところにある部屋であっても。女性は、安全対策が十分ではないと感じることが多いのだ。安全性は、例えば小売の現場やホテルの設計上の機能なのかもしれない。だが、安全かどうかを知りたいと女性が考えるのは、マズローの欲求段階説にぴったり一致する。この欲求段階説とは、まず、呼吸をする、食べる、水を飲む、寝る、セックスをするといった肉体的な欲求があって、そのすぐ次に身の安全、健康、生きる上で必要なものが続き、ピラミッドの頂点まで登りつめていく。頂点にあるのは、創造力や問題解決能力を発揮しないと得られない欲求である。

私たちの誰もが、レジで支払いを終えた女性の後ろに並んだ経験があるはずだ。レジ係が女性にレシートを渡す――なぜ、この女性はそこからどかないのだろうか？　私はこれを何度も目撃しているのだが、さっさとそこを離れるのではなく、まるで禅の作法のように、女性は念入りに自分の持ち物を確認し始める。小銭を小銭入れにしまう。勘定書やクレジットカードを財布にしまう。それからレシートをながめ、勘定書と一緒に押し込む。あるいはレシート用のケースにしまうこともある。次に、財布と小銭入れを（一体型もあるが）ハンドバッグにしまい、バッグを閉じる。最後にもう一度目でチェック。大丈夫、何も落としてないわ。

こうして、やっとそこから離れる準備ができた。

男性が同じことをするだろうか？　私が目にしてきたのは、同じような状況で列ができていれば、後ろの人が支払いできるように自分の買った物を脇にどけ、その場から移動する男性の姿だ。これは、男の動物的な協調性のせいかもしれない。と同時に、男性が自分の身の安全に無頓着であることとも関係しているのではないだろうか。売場から離れる前に女性という動物が細やかな振り付けを披露するのは、単に、ショッピングの楽しみを完結させるためではない。終えたばかりの取引を間接的に確定させ、完結させるためなのだ。わざと時間をかけて、嫌がらせをしているのではない。安全の問題なのである。

思いやり

私が言いたいのは、礼儀正しさではない。重量と筋力に関わる問題だ。電化製品店にホームシアターを買いにきた女性客を迎えたとしよう。この女性は、その製品を自家用車かワゴン車まで運べるかどうか、不安に思っている。買った物を乗せるために、あらかじめ座席を取り外してきたとしても不安はぬぐえない。ほとんどの男性は、この力仕事に対応できないとは認めない。しかし女性の多くは、モノが重すぎて、自分でなんとかするのはめんどうだということを、十分に承知している。お手伝いはサービスです、すぐに対応しますという、女性客の悩みを軽くする店内案内はどこに置いてある？　チップは受け取りませんという案内は？　これと同じ案内はスーパーマーケットの駐車場のどこに設置している？

すでに書いたことだが、結局、女性が求めるものはそう複雑ではないと思うのだ。

一九七〇年に入学したヴァッサー・カレッジ初の男子学生の一人として、私の人生はずっと、興味をそそるような、洗練された女性に囲まれてきた。女性とは友人であり、仕事の同僚でもあった。若い頃、二人の女性にプロポーズしたっけ。どちらからも断られたが。ある意味、二〇代で心をすっかりさらけ出したのに、代わりに得たものは何もなかった。その結果、こだわりがなくなり、知的な魅力をモノサシとした人間関係を築くようになった。今、私が魅力を感じるのは賢くて、自立して完成された女性だ。長年、私が関係を築いてきたのは政治家や芸術評論家、ダンサー、音楽家などである。そのほとんどとのいい関係は、今でも続いている。女性の友人も昔の恋人も、ここ数年、とてもありがたいネットワークになっている。わが社の利益を増やしてくれた女性もいれば、エージェントを見つけてくれたり、本を出版してくれた女性などもいるからだ。

私はこれまで結婚をしたことはないが、愛情を注ぎ、尊敬している女性と一〇年以上も人生と生活の場を共にしている。シェリルだ。私は彼女を「ドリームボート」と呼んでいる。なぜって？　彼女がまさしく、その人だから。私たちが仕事を続けてこられたのは、お互いに好きなことをしてきたからだ。私たちのスケジュールはずっとかちあってきた。私は、年の半分は出張に出ているし、シェリルはクラシックのフルート奏者で、夜は出かけて、ロングランのブロードウェイミュージカルで演奏している。休みのときは、あちこちの音楽フェスティバルで演奏している。私たちが顔をあわせることは多くはないが、会えるときはいつも、家に帰ってきたことをしみじみと感じている。

これまでの人生で、女性と広い交友関係を持ってきた結果、あることに気がついた。それは、この二〇年間で女性の立場が変わり、われわれを取り巻く状況や世界の動向が変わったということだ――まだまだ先が長い場合が多いのだが。女性は、ありのままの自分について、大きな変化を経験しているところだ。これは私たち全員に、重要な影響をもたらす。多くの人は、それがどれほどのものなのかわかっていないけれども。

女性向けは男性にも好まれる

つまるところ、女性のために声をあげたとしても、私は自分の男らしさが脅かされるとは感じていない。小売の現場を女性好みにしたとしても、男性に不向きなものにすることにはならない。皮肉なのは、女性向きの方針をとれば、女性にも男性にも好ましくなるということだ。

名刺ファイルをめくっていると、女神のように思える女性が多くいることに気づく。業界で第一人者となった女性や、社会における女性の役割が変わったことについて自分なりの意見を持っている女性などだ。本書においても、そのうちの何人かに登場してもらうつもりだ。適切であれば、マーケットリサーチや二次的調査から得た正確な情報を引用しよう。我がエンバイロセル社の調査結果も含めて。笑い飛ばしてくれてもいいし、少しだけ考えてみてくれてもいい。じっくり考えてくれるのも、歓迎だ。

とはいえ、私はジェンダー問題の専門家ではない。女性について書いている男にすぎない。すべての女性が同じでないことは誰でも知っている。買物好きの女性もいれば、それに耐えられない女性もいる。自動車販売店に乗り込んで、営業マンと話をし、新車のミニバンのキーを手にして店を出てくる女性がいれば、実際の買物は男性におまかせという女性もいる。しかし女性は、同じジェンダーである他の女性とある種の共通点を共有している。会話を交わすことのない男性二人にも、何かしらの共通点があるのと同じだ。

要は、男性が他のことにかまけているあいだに、女性は社会的にも文化的にも、経済的にも大きな勢力になっていたということだ。

女性が実社会でどのように変遷してきたかを見てみようではないか。

1

変わりゆく住宅とコミュニティ

マックマンションと男のエゴ

高価で大きな石を積んだ塀の前に車を停める。マックマンション（新興邸宅）の道路を挟んだ向かい側だ。ここは、マンハッタンからおよそ八〇キロほど北上した所。どうぞ、お入りください――私はここで待っていますから。どうも。

マックマンションを近くで見たことがないって？　設計者の意図がどうであれ、この造りはまるでベルサイユか、はたまた年配のイギリス人ロック歌手が所有する田舎の広大な牧場のようだ。マックマンションは、この二〇年間で先進国のあちこちに建てられてきた。建てられたばかりでも、昔からずっとそこにあるように見える。

失礼かもしれないが、「マックマンション」という言葉が生まれたのは、一九九〇年代初めで、その立役者はニューヨークの環境問題専門家だったジェイ・ウェスターヴェルトだ。彼は一九八〇年代に定着し始めた不動産のトレンドを表現するために、この言葉を考え出した。ウォールストリートが強気市場だったおかげで、にわか金持ちが大勢登場した時代だ。マックマンションは、派手な大型の新興住宅で、通常は敷地面積いっぱいに建てられる。そのため、マックマンションの多くが隣の家にぴったり接するという残念な結果になる。なかには、取り壊して建て替えられたものもある。最近多い不愉快な流行のようなもので、結果として、植栽や裏庭、由緒ある感じのよい歴史的な建物まで解体されてしまうのだ。取って代わるのは、まったく調和していない巨大なハコモノで、周囲を威圧するようなまるで……なんと言えばいいのやら。言葉が出てこない。

マックマンションという区分には、機械的で大量生産的で型にはまった建物といった雰囲気がある。美的に破綻していることは言うまでもない。また新興マネーとも関係している。マックマンションがアメリカや世界中の景色に登場してから、あっという間に、便利さのシンボルになった。これは金融ブームのせいではなく、男のエゴがコントロールできなくなったからでもある。

男の終《つい》の棲家《すみか》としてのマックマンションにはわけても次のような特徴がある。

一．フランスのシャトーからイギリス様式、ジャコビアン様式、今日的なコーザ・ノストラ（あらゆるものを取り入れた建物を品よく説明する言葉は、「新折衷主義」だ）まで、クラシックとネオクラシックなデザインを統合失調症的に組み合わせたもの。

二．さまざまなデザインの屋根を取りいれた風変わりな建物。疑問に思うようなら、屋根窓やポーチ、『風と共に去りぬ』風の柱、パラディオ式の窓、飾りしっくい、石で縁取った出窓、クラシックカー六台とスノーモービル、四輪車、旋盤を動かしたことのないような最新の木工所が入る車庫を建てればいい。

三．陳腐な新しさという全体的な印象のなか、活気を感じさせるような木が植えられていない。茂みも灌木《かんぼく》もない。風にそよぐわずかにある植栽以外には、植物がないのだ。建設業者にすれば、着工前に全てを根こそぎにする方が安くあがる。だから、その土地に何世紀も根づき、日陰と快適さを提供してきた樹木を切り倒すのだ。アメリカのほとんどのマックマンションの周囲には大きな植物がなく、魂が吸い取られるような不気味さがある。堂々たるとはとても言えない。言葉にできないような思いつく限りの行為が密かに行われているようなものだ。

四．ポーチはどこだ？　ない。作るのに金がかかるから。もし、ポーチが住人のプライベート空間と外界をつなぐ架け橋としてのものであれば、この近辺では、ポーチはありふれすぎて、豪奢でなくなってしまう。

五．女性であれば、これだけ広い家の掃除という家事のせいで、週に一度は片頭痛になるだろう。

家族がどの部屋にいるかを把握することは、ほぼ不可能だ。ＧＰＳアンクレットをはめさせなければ。家庭での女性の伝統的な役割が居心地のよい空間を作ることならば、ある意味、重要なのは、まさにその家だ。マックマンションにおける母親の役割を説明するには、別の表現の方がいいだろう。家族に寂しい思いをさせないこと。迷子にさせないこと。加えて、フルタイムで働き、多少なりとも家事をこなす稼ぎ頭の女性が、自宅をきれいに保ち、食事の支度もするという責任を抱え込んだら、何が起きるだろう？　そんな重荷は想像だけにとどめるほうがいい。

六．これは特徴ではなく単に一般的な見解だが、私なら家に帰りたいと思う。すると、頭に浮かぶ。この家には誰かが住んでいるはずだ。だが、いったい誰が、こんな家に住みたいと思うのか？

七．男。理解しない人類。

八．バイバイ、マックマンション。女性という種を住まわせる新たな住宅に、こんにちは。

幼い頃に暮らしたような家を夢見ていたのに、現実にひき戻されるということもあるかもしれない。二、三段あがれば、何年も雨にうたれてきた玄関マットが置いてある。心地のいい玄関に入る。ノーブランドの花柄の壁紙。茶色の手すり。擦り切れたカーペットを敷きつめた階段。感謝祭とクリスマス・イブ、おばあちゃんが来るときしか使わないダイニング。パパ専用の椅子があるリビングルーム。

キッチンは家の奥。冷蔵庫からグレーのコイルがついたコンロまで、家電製品は白いマシュマロみたいだ。冷蔵庫がどこにあるのか、どうやって開けるのかはまったくわからない。ありとあらゆる家族のものがべたべた貼ってあるから。一四番ホールのティーグラウンドに立つパパのポラロイド写真。コロニアル・ウィリアムズバーグでの親族会。地元のハードウェアショップの名前入りカレンダー。てんとう虫のマグネット。もちろん絵やスケッチ、我が家のピカソが幼稚園に通っていたころのフィンガーペイントもある。

確かに窮屈だった。だが、そこが家庭だった。二階はトイレのついた両親の寝室と、小さな子ども部屋が二つあった。

こうした家は、現在のマーケットではおそらく売れないだろう。

一九六四年、私の両親がメリーランド州チェビーチェースに一戸建てを購入したとき、その価格は父の年収とほぼ同額だった。スピーチでは、たいがいこの話をするのだが、二〇一〇年現在、年収と同額程度の家に住んでいる人に対して、同情を感じるだろうか、それともうらやましく感じるだろうか。要は、今日、中流程度の生活スタイルを維持するなら、夫婦二人の収入が必要だということだ。第二次世界大戦中、『リベットエロージー』が袖をまくりあげていたのにはもっともな理由があった。男たちは前線で命をかけていたから。だがこの数十年間で、女性は家族の住む場所を確保するために外に働きに出るようになった。ここに至るまでに、女性が担ってきた主婦という伝統的な役割は、家を設計して建てて、道具ベルトを締めるという役割に変わってしまった。多くの場合、住宅ローンの契約者にもなった。

では、二一世紀の典型的な住宅はどういうものだろうか？　言葉を換えれば、何件かの熱烈な引き合いがある住宅とはどういうものだろうか？

これだけは言っておく。生まれ育ったような家でないことは確かだ。

間取り革命

アメリカの住宅の基本的な間取りは、一九五〇年代から変わっていない。われわれが目撃するようになった変化とは——何年もの抵抗が続いた後の話だと付け加えておくが——文化的で人口学的な現実に対応した、再調整である。伝統的でない家族にぴったりの家は、ここのところ、かなりよい価格で売れている。主寝室が二部屋あれば、姉妹が一緒に住める。成人した子どもにも十分な広さだ。三世代同居。おばあちゃん用の一区画。あるいは、地元の大学院に通う学生にまかない付きで貸して、食事の支度と掃除、犬の世話を引き受けてもらうとか。

子どもが巣立った世帯の三分の一近くは生活規模を縮小するか、シンプルにしたいと考えている。広くはなくても、使っているものが収まる程度の家を購入する人がますます増えている。こぢんまりとして、モノが収まって、ぴったりなサイズの家。近くの学園都市に家があれば、授業や映画に出かけるにも好都合だし、劇場、コーヒーショップ、書店などもあって便利だ。男性優位の家からはおさらばだ。現実に物事を仕切っているジェンダーのニーズに合わせた住まいに移ろうではないか。つまり、女性だ。

例えば、ホーム・オフィスでもいいし、トレーニング・ルームでもいい。独立した区画に、冷蔵庫や冷凍庫、皿洗い機がついている家でもいい。プールがあれば、独立したカウンターバーが屋外にあるかもしれないし、皿やカップをしまう移動式キャビネットもあるかもしれない。私の姪と甥っ子であるガブリエルとミランダは一〇代だが、それぞれの寝室に小さな家電製品を置いている。ソーダやスナック菓子を入れておくミニ冷蔵庫だ。二人が甘やかされているからではない。私の妹は、バリバリ食べたり、ガブガブ飲んだりするようなもの（レッド・ブルのような商品）を二人に買い与えないから、自分で買い置きできるようにしているのだ。

核家族が小さくなるに従って、アメリカの状況を示す一つの要素は、複数世代が一つ屋根の下に暮らすという考えだ。一方の棟には孫、もう一方の棟には祖父母というふうに。成人した子どもが自宅に住み、あるいは実社会を体験して子どものころの寝室という安全な場所にそっと戻ってくるようになって、私は、外に出られるドアのついた寝室はグッドアイデアではないだろうかと思っている。通常の家であれば、当然、外に出られるドアと裏口がある。物置につながるドアもあるかもしれない。だが、家が進化するにつれて、ドアがどんどん増えるはめにならないかどうかなんて、誰にもわからないではないか？

（二六歳になって、実家に戻ってきたとしよう。続き間の共有スペースを通らなくても自分の寝室に行ければ、ありがたいに違いない。当然、詮索好きの視線を避けることができる。防火壁や非常口、あるいは別の入口があれば、なおいいはずだ）。

部屋の作り変えは、特に、ヒスパニックやラテン系ベビーブーマー世代に当てはまる。この世代の両親は、家を出て独立しないよう説得することが多いからだ。ラテン系ベビーブーマー世代は孫や高齢の両親まで巻き込むが、ラテン系以外の家族がそうすることはない。例えば、独身のラテン系アメリカ人が休暇に出かける場合、すべての世代の家族も一緒に出かけるのは、まず間違いない。プリンセス・クルーズ号はそれに対応するために、航海中、宿泊施設の一部を複数世代で構成される家族向きにしつらえている。

郊外に住む人びとの多くが、「田舎暮らしなんてくそくらえだ――もっとしゃれた都会に戻ろう」とかわるがわる口にする。私は、ニューヨークやシカゴといった都会の高齢化の問題は理解している。だが、メリットもあると思うのだ。私自身はリンカン・センターに歩いていける方がいい。ウェスト・ビレッジの我が家の前を誰かが雪かきしてくれるし、マレー・チーズ・ショップが箱いっぱいのチーズを宅配してくれるし。

移動が容易になったのは、社会として、何でも捨てる時代に突入したことが一つの要因だ。イケアとH＆Mは、モノを捨てて模様替えすることにお墨付きを与えた。少なくとも、正当化してくれたと言える。どちらの店も、質はよくて安い。だが、長く使ってもらうことは意図していない。

「長く使ってもらうことは意図していない」なら、新たに家を買う人は、家を住み替えていくものととらえるべきだ。その家に何年、住むつもり？　死ぬまで、と答えるのであれば、すでに書いたように、子どもや両親、孫を取り巻く環境は、いずれ変わるということを頭に入れておいた方がいい。つまり、人生をあらかじめ設計しておくということだ。ニューヨークに住む友人の悲惨な状況と比べてみよう。彼らはずっと、家賃が法規制された共同住宅に住み、事実上、引っ越しできないものとあきらめてきた。どうして引っ越せようか？　引っ越しをすれば、家賃は一夜にして四倍になるかもしれない。規制家賃の共同住宅と結婚したということだ。その後の人生を運命づけた住宅の選択だったと言える。

小型化するメリットをもう一つ。昨今の経済的苦境や、ベビーブーマー世代が進めている、あるいは進めるつもりでいる整理整頓の結果、われわれはモノに注目するようになった。特に、長年かけてどれくらいモノをためこんできたかということである。過去三〇年でクレジットカードの借金を増やし、大画面テレビは一台しか要らないのに三台も買いこむ一方で、個人向けの倉庫産業がアメリカの不動産業界で急成長している分野の一つになったのは偶然だろうか？　世間には、個人向け倉庫施設の運営を「主業務」とする企業が約五万三〇〇〇社もある（「主業務」とは、個人倉庫を主な営業収入とすることだ）。二〇〇七年時点で、この業界の総売上はおよそ二二一億ドルだった。一〇世帯のうちの一世帯は現在、個人向けの倉庫を借りており、この一二年間で約六五％も増加したことになる。貸し出し可能なアメリカの個人向け倉庫は今や、合計二二億一〇〇〇万平方フィートになる。これは七八平方マイルにもなる広さだ。確かに、こうした小さな倉庫の多くは非常駐の軍関係者に貸し出されているが、それ以上のスペースが一度は引っ越しをしたことのある民間人に貸し出されている。あるいは、両親や祖父母から家具や絵画を相続したものの、その扱いに困っている人たちにも。

今日、倉庫業がこうした人気商売になっていることは不思議ではない。経済が停滞していても、女性の整理整頓に対する信仰心がなくなることはないからだ。

ケネコット・ランド社のニュー・キッチン

二〇〇七年、ユタ州を拠点にするケネコット・ランド社という地域開発グループは、いくつかのコンセプトを取り入れた。家を買う女性が近代的な住宅に求めるようなコンセプト。取締役は女性の建築家や住宅を購入した女性たちだったが、そのうちのいくつかは男性でも好意的に受けとめるはずだ。すなわち、何らかの方法で、子どもを囲む、あるいは取り込むキッチン。理想的には、高さの違うカウンターがあり、広々としたキッズスペースとつながったもの。こうすれば、このキッチンは単にスムージーやナチョスを手早く作るためのスペースではなくなる。夕食を作りながら、子どもがレゴやアメリカン・ガールのドールハウスで遊び、共有コンピュータでどういったサイトにアクセスしようとしているのかに目を光らせ、ウィニー大叔母さんからもらったランプがこなごなに壊されていないかどうかに気を配ることもできる場所になる。

他のメリット？　ママとパパが長年、「小さなレストラン」を経営してきたことを見せれば、自分たちがどれほど恵まれているかが子どもの記憶に残るだろう。こういうことも考えられる。子どもは両親の隣で料理することができる。オムレツのひっくり返し方。お茶の入れ方。ハンバーガーにチーズをのせてとろけさせること。リングイネをアルデンテに仕上げるコツ。そうしたことを学べるではないか。さらによいのは、子どもたちは高すぎないカウンターでそうしたことができるということだ。十分にスペースのあるそのカウンターなら、こねたり、すりつぶしたり、むいたり、混ぜたり、こしたり、ソテーしたり、好きなだけカリカリに焼いたりできる。これで食事の準備を二手に分けることができる――理想だが。もし、キッチンに二人以上のスペースがあれば、チームを組んで調理するのは、最高に楽しいはずだ。

ケネコット社の女性による市場アドバイザリー委員会は家族用トイレについてのアイデアを思いついた。そこはもはや、間仕切りをして名札をつけた狭い一画で家族全員が一斉に用を足すような小さな物置きではなく、トイレを二つ並べてドアで仕切ったものだ。こうすれば、ママとパパは毎朝、順番にシャワーを浴びて、歯を磨くことができる。こうして、隣の部屋では子どもたちが学校に行くために着替えをしている様子を確認する余裕ができる。一日の時間帯によって、誰がいつ何をする必要があるのかによって、ドアはぴったり閉めてもいいし、少し開けておいてもいい。シャワーを使い、お風呂に浸かっているところを、子どもにじろじろ見られても気にしないという大人はいない。一定の年齢以上になれば、子どもも同じように感じる。これで、みんながハッピーになれる。

さらにいいのは、これが、女性がどのように暮らしたいかを知り尽くし、自分の家もリフォームした女性が考えだした興味深い例だということだ。

新アーバン・コミュニティの役割

二〇世紀あげての悪人の一人は、フランク・ロイド・ライトだ。アメリカ人は近所から孤立して、郊外型の生活様式に切り替えることが可能になり、村というコミュニティやその考え方から離れてしまった。こうしたものは人間の本質だと思うのだが。「この土地がいいな。ここからなら車で通勤できるし」という、まさに男の視点による決断は、支配する側が言うことだ。一方、相手の女性側は城のなかにとどまるはめになる。近所のことはよく知らないし、完全に疎外されているように感じてしまう。子どもがいたらなおさらだ。

新アーバン・コミュニティが、今日の女性、とりわけシングルマザーにとって、もう一つの選択肢となってても不思議はないだろう？

新アーバン・コミュニティとは、都市と郊外が混在した土地で、全米に登場している。例としてはおそらく五〇ほどあると思うが、最もよく知られているのはシーサイドだ。シーサイドはフロリダにある。海岸に面して、ハリウッドに出てくるような完璧な街のように見える――清潔で整然として、バイク修理から診療所に至るまで、商店もサービスも充実しており、実際のコミュニティの中にある。シーサイドには、画廊が三軒にレストランが一七軒、ピザパーティや陶芸祭、砂の城トーナメントが開催され、劇場もある。新アーバン・コミュニティの魅力の一つは、全員に目配りする人がいることだ。家庭内暴力や犯罪といった事件も多くない。安全対策は言わずもがなで、逆に実感がわかない。住人がセキュリティ会社と契約しなければいけないという義務感を感じることはない。近所の人が、おたくの様子をうかがっている怪しい人を見かけたよ、とか、宅配便を受け取っておいたわ、と言ってくれるから。

シングルマザーにとって、子どもの世話は負担なうえ、お金もかかる。だが、新アーバン・コミュニティなら、誰もが他人の子どもを見守るという姿勢でいる。ジミーがバイクで事故を起こしたとか、茂みに隠れてタバコを吸っていたといったことを、近所の人がママに教えてくれる。シングルマザーがそこに引っ越すことを決めさえすれば、備え付けの安全弁がタダでたくさん手に入るわけだ。同じようなことをうたい文句にできる共同住宅や郊外の分譲地はどれくらいあるだろうか？

さらにこうしたコミュニティでは、車を使わなくても目的地まで歩いていける。都会から郊外に引っ越した私の友人は、そうしたウォーキング——毎日の生活に組み込まれた純然たるエクササイズ——は、都会の生活で最も恋しかった三つのうちの一つだと言った。

新アーバン・コミュニティで生活するデメリットは、異なる様式の住宅やコミュニティでの生活を支配する制限に、ある種の共通した面があることだ。もし、家を紫の水玉模様に塗り替えようとしたら、ダメだといわれる可能性はかなり高い。また、人口が密集していないため、ドライクリーニングから七店舗ある衣料品店までがコミュニティの売りであるにもかかわらず、小売業が周囲の街と肩を並べるほど儲けるまでになっていない。

それでも、いずれは見劣りしなくなるだろう。

さて、多忙で複数の役割をこなす今日の女性は、自分がイメージする現代的な家をどう作り変えるのだろうか？　ちょっと調べてみようか。部屋から部屋、キッチンからトイレ、自宅兼オフィス、自宅ジムを回ってみよう。それから、個人住宅を離れ、すべての人の自宅、つまりホテルへと歩を進めよう。さらに、電化製品を買い求め、女性と罪の話題をさらい、デパートに向かって、ショッピングモールを回り、ファーマーズ・マーケットに立ち寄り、ドラッグストアを念入りに調べ、美と髪の世界を探検し、最後はオンラインでしめるとしよう。全部を網羅することはできない。だが、行きつくところを楽しんでもらえればと思う。

2

キッチン革命

キッチンの現代化

私は今、これまで見たこともないほどゴージャスなキッチンにいる。幅が二倍もある冷蔵庫がきらきらしている。コンロはガスレンジが八つもある。ワインクーラーもあるし、エスプレッソマシン、炊飯器、ポップコーンメーカー、スムージー用の強力泡だて器も。もう、家に帰りたくないな。

二〇年前、女性たちは洗練されたキッチンストアが存在することすら知らなかっただろう。今や、アメリカ中部の中流階級の女性でもウィリアムズ・ソノマを知っているし、その上、最新のトイレやキッチン・デザイン、ファッションを買うこともできる。インターネットや住宅雑誌、それに二四時間放送のケーブルテレビでやっているショッピング番組のおかげだ。『ディス・オールド・ハウス』、『肉をひっくり返そうぜ』、『スタイリッシュな貯蔵庫を作ろう』、『五秒でできるジャンクディナー』などだ（そう、『ディス・オールド・ハウス』以外は私の創作だ）。

中石器時代以降、女性は食料を探して、集めるものだとされてきた。集めることに限りない喜びを感じるジェンダーなのである。しかし今日、採集とは単に食料を手に入れることだけではない。食料を手に入れて巣に持ち帰ったあと、その女性はその食料をどうするのかということだ。つまり、現代風キッチンである。

キッチン開拓史

女性という種にとって、現代風のキッチンは、小道具や作りつけの設備、家電製品が並ぶショールームのような、うっとりしながらぶらぶらできる場所だ。男性がおもちゃ――オフロードカー、ハーレー、あるいは、車庫の隅にシートをかぶせたままでほとんど乗ることのないクラシック・ポルシェ――を集めるように、キッチンは、男性のあらゆる小物を家に置くことを認める代わりに、女性が手に入れた領域となったのである。女性がこう言うようなものだ。「ちょっと。あなたが動力のこぎりと新しいマックブック・プロを買うのなら、私は多機能冷蔵庫を買うわ！」

ほとんどの人が当然としてきたキッチンの本質は、単調で実用的なスペースだった。食事をして、スナックをひったくって、あるいはお弁当をつめる場所であって、家の中で注目を集めるような場所ではなかったし、家族が集まって、和気あいあいと話をして、ぶらぶらするような場所でもなかった。ママの遊び場になったことは、これまでに一度もなかったのだ。

何世紀も続いてきた昔ながらの実用的なキッチンに取って代わったものは何だろう？　南北戦争まで家事を一手に引き受けていた女性は、料理に修繕、洗濯、キャンドル作りをすべて、巨大な暖炉が占領するキッチンでこなしてきた。そこは彼女たちの城であり、職場でもあった。テクノロジーが発達して、その存在が知られるようになったのはビクトリア時代以降である。一九世紀半ばまでには、石炭か木を使う鉄製コンロが初めて都心の市場にあふれるようになり、その後、地方でも見られるようになった。南北戦争後、よりよい生活と賃金を得ることができる工場労働者として働くことに決めたメイドの大量流出を受けて、キッチンはコンパクトになった。人がいなくなったことに対応したかのように、労働力を省くための器具が初めて現れるようになった。

一八八〇年代から二〇世紀に入るころまでがキッチン電化製品の黄金時代だったと考えられているかもしれない。今では当然のものになっているキッチン用品の多くが消費者市場をかつてないほどに埋め尽くしたのが、この時代だ。その結果、機械化されたキッチンが初めて製造された。このおかげで、当時、一日中家にいた主婦が、人生で最も重要だとされてきた強制労働から解放されたのである。

トースター、卵泡だて器、ワッフル焼き器、あれやこれやの電化製品。一九二〇年代になるころ、女性の消費者は、電気掃除機から洗濯機、アイロンまで何でも購入することができた。二メートルほどの高さのある、よく見かけるキャビネットは言うまでもない。ほら、大きな収納スペースに、カトラリーの引き出し、みじん切りもさいの目切りもできるようなまな板がついたマツ材製のキャビネットのことだ。

電化製品が登場したから、建築家は電化製品の周りにキッチンを設計するようになったと言っていいかもしれない。その逆ではない。一九三〇年代までには冷蔵庫とコンロはすっかり定番になり、キッチンは、家のなかの他の部屋と同じくらい、手間をかけ愛情を込めて設計され、飾り付けられるようになった。四〇年代に入ると、郊外の方が先んじて、最新の組み立てライン技術で作られたキッチンを取り入れるようになった。ニューヨーク郊外のレビットタウンでは、不動産開発業者のウィリアム・レビットがキッチンを家の奥から手前に移動させた。手前にあるキッチンは、今日の家庭の影の司令塔になりうるからだ。

機械化はあっというまに、かつ、ものすごい勢いで広まった。ゴミ箱、バイバイ。ゴミ処理機よ、こんにちは。オーブンよ、さらば。ようこそ、電子レンジ。だが、それはほんの始まりにすぎなかった。

それでも、キッチンと家のその他のスペースの一体化が進んだのは、女性が一斉に働きに出るようになった一九七〇年代や八〇年代になってからのことだ。女性は、疲れきって帰宅してすぐに、家族の食事の支度を始めるために、家の隅に追いやられたくなかったからだ。それよりもキッチンをその他のスペースと一体化させ、調和させる方がよっぽどよかった。パパはリビングで葉巻を吸って、新聞を読む。子どもはダイニングテーブルの下で遊びまわっている。

その間、現代風キッチンに文字どおりの暖炉や赤々と燃える火がなかったとしても、この場所は今や、現代的な家庭における社交の場となった。もはや、家の機能的な役割を担うスペースではなく、美とデザインを展示してみせるスペースとなったのだ。

社交センターはそれなりに整っていなくてはならない。つまり、場合によっては、オーブンが二つついたヴァイキング社製コンロから、サブゼロ社の冷蔵庫、御影石を使ったカウンターに至るまで、最先端の電化製品が怒濤のごとくやってくるということだ。こうした製品は、往々にして、子ども一人をレベルの高い州立大学に一年間通わせることができるくらいに値が張る。ニューヨークのタイムワーナー・センターにあるウィリアムズ・ソノマのショップは、三万ドルもするコンロを二台も置いていることを売りにしている。バッキンガム宮殿の料理長でさえ、三万ドルのコンロなど一台だって要らないだろう。これは、女性にとってのハマー（米軍軍用車の一般向けオフロード車）だと思わなければ。とにかく、欲しがる女性がいるのだから。

大ヒットした冷蔵庫

売れまくった冷蔵庫に目を向けてみよう。

この冷蔵庫はキッチンにおける必須な家電製品として、コンロを打ち負かした。これを確認する一つの方法は、家族の誰もが——ママもパパも、子どもたちも——まっすぐ冷蔵庫に駆け寄っていく姿だ。一方、コンロに触れるのはごく一部の人間に限られている。現代風冷蔵庫のデザインは、『リアル・シンプル』誌のシンプルさや、環境保護運動に影響された。その根底にある命題は、働く女性が増えれば増えるほど、時間を節約できる道具がキッチンにあれば、マルチタスクな近頃の女性に楽をさせることができるというものだ。今日では、電子レンジ食品やパック入りのサラダが売られているが、皮肉なことに、キッチンにこれほどまでに余計な機能がついていることはかつてなかった。すなわち、使われなくなっているのだ。このスペースは、料理をする時間があるときだけ、女性の足が向かう場所となったのだ（ここが大事だ。時間があるときだけ）。手に入れて、そこにあるとわかっていることが、外で働くことの最も重要な報酬なのである。

キッチンは中央司令部で、女性はコックピットのキャプテンだとする、今日のアメリカにおける考え方は、必ずしも他の国でも当てはまるものではない。他国においては、西欧やアメリカのファッション誌や住宅雑誌によって広まったイメージは、どうでもいいようなものにすぎないからだ。新興国の中流階級の女性の多くは、料理人やメイドを雇っている。そうした国のキッチンは、アメリカや西欧のように社会的役割を果たしていない。キッチンでおもてなしの料理を作る、料理上手として自分の腕に自信を持つといった考えはそうした国では論外だ。外国のキッチンは、その国の文化や食生活、広さの限界などによって、発展の仕方が異なってきた。

例えば、日本の皿洗い機は卓上型だ。日本人女性の卒業祝いのプレゼントとして望ましいのは、新製品のコンピュータやプリンターではなく、カラーコーディネートされた一揃いの電化製品である。このプレゼントは、若い日本人女性を実家から追い出すきっかけになるだけでなく、大人として一人暮らしを始める権利があることを本人に気づかせる役目もある。日本人は、独身女性向きの電化製品シリーズも考え出した。これのおかげで、キッチンで下着を干せるようになり、丸見え状態で外に干す決まり悪さを感じずにすむようになった。

アメリカでは、いわゆるオープンタイプのキッチンがどんどん増えている。書斎や広々とした部屋と仕切ることなく、一体化させたキッチンのことだ。つまり、キッチン製品はコンパクトでなければならない（でなければ、モノで埋め尽くされてしまう）。流行はコンパクトなデザインに向かっている。かつてそうしたデザインは、狭いボックスカー程度の広さの共同住宅か、ボート用に限られていた。コンパクトデザインの製品には、カウンターの下におく電子レンジ、引き出し型温蔵庫、戸棚に納まるコーヒーメーカーやエスプレッソマシンがある。よくあるのは、見やすいように戸棚に斜めに入れる液晶テレビや、冷蔵庫そのものに組み込まれているテレビだ。主婦は朝、『トゥデイ』を見ながらモーニングコーヒーの出来上がりを待つことができる。

もちろん、高級製品としての大型キッチンもある。これはスペースがたくさん作ってあり、専用パーツを組み合わせるものだ。それぞれのスペースに同じシリーズの家電製品を当てはめていく――冷蔵庫、オーブン、シンク、調理プレート。調理場のパーツもあるかもしれない――四人から六人のコックが二つのシンクと二枚のまな板を使って仕事をすることができるような回転式調理ユニットだ。超音速オーブンがあってもいい。これだと、時速一〇〇キロのスピードで食材に熱風があたるから、家庭のシェフは従来型オーブンより一五分の一の時間で準備を終えることができる。あるいは、電化製品のカリスマが考案した「インテリジェント」オーブンというものを使えば、携帯から電話を一本かけるだけでチキンや感謝祭のターキーを調理することができる。

昨今、女性たちは、あれやこれやのそうした製品を買えば、あっという間にキッチンの主役になれるような道具に囲まれている。キッチンスケールやフードプロセッサー、大型ミキサー、小型ミキサー、ミニチョッパー、ジューサー、スムージーマシン、ポップコーンメーカー、ピザ用ツール。あって当然な道具は、穴あき杓子やピーラー、すり鉢、すりこぎ、スプーン、へら、スパイスラック、トング、スチーマー、タイマー、ペッパーミル、ソルトミル、レモン絞り、おたま、ふた、野菜の水切りボール、泡だて器、温度計、ざる、こし器、栓抜き、缶きり、ビンのふたあけ、チューブ、はけ、おろし金、シュレッダー、パンケーキの型、まな板、包丁研ぎ。

ママって、すごい。

手間と時間を省くために

今見てきたような現代風の家庭における新しい部屋のように、今日のキッチン電化製品はすべて手間を省くためのものだ——何をするにつけても時間を節約する。キッチンのなかで、私たちは、近道をする時代を生きている。まるで、よく行くファストフードレストランの効率性をまねたみたいだ。多くの研究によって、キッチンで過ごす時間は一九六〇年代半ば以降、激減していることがわかった。当時、アメリカの女性はゆでたり、焼いたりするために、毎週、平均一三時間をかけていた。今日のアメリカ人女性は、食事の支度のために一日約三〇分しかかけないと白状している。ある専門家は、家庭での調理時間の減少と、アメリカの肥満者の割合の上昇は関連していることを指摘した。キッチンで調理した食事は、ファストフードより健康的だとすれば、納得がいく。だから、肥満率がアメリカに近づきつつあるイギリスという国では、政府が最近、小学校で料理クラスを必須とする法律を制定したのだ。

もし、キッチンで支度をするという考えがアンフェタミンのような効果を及ぼすとなったら、ロン・ポピールは、おそらくこれまでで最も成功したテレビショッピングのセールスマンだろう。彼は、現代の手早く片付けてしまいなさい教の教祖だ。日曜の朝か夜遅くにテレビをつけた女性なら誰でも、まず間違いなく、自分で開発した時間節約型商品を自慢げに紹介するロンを見かけるはずだ。それがショータイム肉あぶり器（〝セットして終わり！〟）や、チョップ・オー・マチック・フードプロセッサー（〝目にしみないたまねぎみじん切りマシン〟）、ダイアル・オー・マチック（〝トマトをぺらっぺらに薄く切るマシン〟）、黄身だけスクランブルマシン（〝溶き卵からぬるぬるの白身をぬいちゃえ！〟）、電気式ドライフードマシン（〝キャンディの代わりに、りんごスナックやバナナチップを子どもに食べさせよう。猟師や漁師、バックパッカー、キャンパーにとって、これはお役立ちだ。五〇〇グラムのビーフジャーキーが三ドルでできちゃう。自家製だから、どんな調味料が使われているのかもわかります！〟)、調味料注射器（キャッチフレーズはないのだが、いつ見てもあやしい。不自然な人工授精器のように見える）だ。

疑っておられる方のために、商品ＣＭのターゲットは女性だと言っておく。

それから、マンドリンだ。

私はどうかって？　マンドリンは私のお気に入りだよ。

フレットのついたリュート属の木製楽器の方じゃない（ルネッサンス・フェアに顔を出したことはない）。最近のキッチン用品で、野菜スライサーのマンドリンだ。私はお気に入りのマンドリンを、ワインオープナーと一緒にして、キッチンキャビネットの一番上にしまっている。キッチン用品のマンドリンはシンプルそのものだ——プラスチックでできた台にナイフが取り付けてあるだけだから。高級品なら何種類かの刃がセットになって、何でもスライスできる。炒め物を食べたいなら、たまねぎとピーマン、じゃがいも二個を細かく切らなくちゃいけない。だが、マンドリンを使えば、どの野菜もびっくりするほど早く、薄く切ることができる。切った野菜を電子レンジに入れて、一〇分待てば、上品でヘルシーな一品の出来上がり。

マンドリンのやっかいな点は、気をつけないと自分の指まで飛んでしまうことだ。私の指はまだ大丈夫だが。

とにかく、時間に飢えている女性にとっては、手早く手軽にできることが重要だ。レイチェル・レイは料理本を書き、テレビにも出演し、多方面にわたってコメントしているが、短時間でヘルシーな料理を作ってみせることで、王国を築いた。通常なら長くても三〇分だ。最近の電化製品が時間節約のためにあるように、今日の料理本のカリスマはスピードと手抜きがすべてだ。まるで、最大限時間をかけずに食べられる（少なくとも食べられるもののように見える）食事を作るレースに参加しているみたいだ。

男のためのアウトドア

こうした新しい電化製品とツールの世界にあって、男性がふさわしいのはどの領域だろうか？例えば、一九七五年当時を思い出してほしい。何人かの男性が食卓の周りをうろうろしている。ブルーカラーかもしれないし、ホワイトカラーかもしれない。あるいはノーカラーかも。テーブルの上で手のひらか甲をみせてもらおう。半分は、車のエンジンやボンネット、マフラーなどをいじって、手に油が残っているはずだ。保証するよ。

われわれの世代が青年だったころ、ほとんどがそうだったように、私は早くから車のオイルやスパークプラグの交換の仕方を教わった。それは一種の取り決めのようなものだった。——国や両親に運転免許を取らせてもらっている以上、オイル交換の仕方くらいは知っておいた方がいい。

誰も代わりにやってくれないのだから。八〇年代初めまでは、ボンネットをバーンと閉める耳をつんざくような音がどこからでも聞こえていたが、あの音は何百万台ものボンネットが永久に閉められた音だった。今や、車のエンジンは完全にデジタル化され、ドライバーは立ち入り禁止になった。保険を引き受けてもらいたければね。私は最近までアウディに乗り、グレタと名づけていた。グレタは八年目で、約一二万キロほど走った。このグレタを新車の下取りに出したばかりだ。ちょっと確認するためとか、何かをいじるとか、修理するためにボンネットを開けたのは数えるくらいだった。それは、私がニューヨーク・シティに住んでいるからでも、自分の手をエンジンやスパークプラグで汚す機会が限られていたからでもない。小指でも入れようものなら、アウディのサービス契約が無効になるからだ。

この結果、手が――世の男性の手も――空いてしまったのだ。ボクシングでもやろうか――始めるには遅すぎる。バックギャモンはどうだ――向いてないな。要は、男は自分のために何かをするのが好きなのだ。もしキッチンで邪魔者扱いされることが多いのなら、男のための場所がある。アウトドアだ。

で、裏庭バーベキューの出番だ。豆炭《まめたん》付きのウェーバー・バーベキューコンロや燃料オイル、マッチだけではない。大型ガスコンロのバーベキューだ。特大サイズのステンレス製串焼きロースターがついて、片側から串焼きフォークがぶらさがっている、あれだ。男がチキンの胸肉やホットドッグ、ステーキではなく、フィッシャーキャットをスモークする、あれ。この状況には女性を思わせるものなど何もない。生肉、燃え上がる炎、煙、熱気、武器まがいの道具類、忍耐、度胸、寝ずの番。加えて、こうした道具のスペックは男の世界を感動させるものになっている。最近、私が目をつけたガスグリルは、大きな調理スペースの上に一万九五〇〇キロカロリーもの火力が出る。さらに、内蔵型ロティッセリーバーナーに頑丈なロティッセリー、モーター、スモークフード、一つのスモークフックに取り付けられた二重ハロゲンランプ、埋め込み式液晶デジタル温度計、ステンレス製のバルブ連結管もついている。

手についた油の感覚が懐かしい？　お、ちょうど思い出したのかな。

男は手を汚してもよい場を求めている——むしろ、必要としていると言ってもいい。レイチェル・レイが短時間クッキングの頂点に立つ女王だとしたら、男にとってのキッチンの王者はボビー・フレイだ。テレビ番組の『グリル・イット！』や『ボビー・フレイと一緒にやってみよう』、『ボーイ・ミーツ・グリル』の司会を務めるあの男。あるいは、「バン！」とか「テンションあげようぜ！」とがなりたてるエメリル・ラガッセ。それか、アメリカ版『料理の鉄人』。男性中心のシェフが、一つのテーマの食材を中心にいくつかのコース料理を六〇分間で作るという、あの番組。ここには勝者と敗者がいる（男に勝者と敗者がいるのと同じだ）。この場合の時間や効率は、家族と過ごすための時間を作ることとは関係がなく、勝つためのものだ。この世の腕のいいシェフの何人かが男だったらよかったのにと、男どもに言ってやってやってくれ。たいがい、肩をすくめるだろう。どうでもいいよ、と。こうした料理番組が男性にもたらしたものは、重い鉄鍋に対する愛着と料理の腕前だ。偏愛と言ってもいいかもしれない。こうした使いこんだ鍋はダンベルの倍も重いのだから！　この結果、男たちは、器用で臨機応変に、しかもキッチンで腕をふるうことは男らしさからかけ離れているという考えを、自分なりに時間をかけて克服していくのである。

いいことだ。

3

トイレとお風呂の進化

究極のプライベート空間

現代の疲れきった女性にとってそこは、精神的に落ち着く究極の聖なる場所だ。贅沢なスパでの一日を思い浮かべてもらいたい。しかもお付きもいなくて煩わされず、わざわざ出向く必要もなくて、スタッフにチップをやる必要もない。子どもがいる女性であれば、家の中ではまさしくここが一人でいられるプライベートな空間だ。何といっても、トイレは、入るところすら見られたくはない、なんとなく下品な場所という歴史的な連想を脱ぎ捨てたのだから。

と言うより、正反対だ。

もともと目立つものではなかったトイレは、女性のおかげでずいぶん進歩した。

昨今のトイレは、霧や湯気、香り、時にはキャンドル、そして心地よくゆったりとした孤独感のなかで、快楽や幻想、自己尊重（ちょっとした自己愛ですらある）が結実する空間になった。

種としての人間は、裏階段の下に押し込めた狭苦しく小さな設備としてのトイレを、レインフォレストに似たトイレつきの部屋に昇格させた。今日、トイレに関する限り、多ければ多いほどいいというのが基準となっている。二〇〇五年に建てられた住宅の四軒に一軒はトイレが三つ以上ある。アメリカの中流家庭では、過去数十年でトイレが占める基準面積は増えているということだ。

今は美しいトイレの時代であると知って、ビリー・ブレナー社の創立者、ビリーに連絡を取ってみた。同社はアメリカ北東部で高級トイレやキッチン設備を扱う最大手だ。ルルやベル・ド・ジュール、ジャドといったブランドなど、ビリーは、ボストン・デザイン・センターにあるショールームで最高級品だけを販売している。

「貴社のような会社が現れるまで、典型的なトイレとはどういうものでしたか?」

ビリーの答えはこうだ。「実用性一辺倒なものでしたね」

この回答は控えめだ。最初に登場したころ、トイレはとんでもないもので、ひそひそ語られるようなスペースだった。好ましくないスペースだったから、トイレの進化は主として、できるだけ狭くしたいという動機から始まった。この最も必要とされるトイレというスペースをコンパクトにし、大人用でもドールハウスサイズの部屋にしてしまった。歴史上初めて登場したトイレは更衣室のなかに押し込められ、二階の寝室から離れたところにあった。トイレは無駄。人間のニーズのうち最も平凡だとされるもの（または慎重に隠されているもの）に余分なスペースを割り当てることは、おそらく、不道徳だとさえ考えられたのである。では、なぜ注目されるようになったのだろうか？

パウダールーム――ゲスト用トイレとかハーフバスルームとも呼ばれている――が登場したのは、一八世紀初めに遡る。繰り返すが、パウダールームはクローゼットより狭く、男性も女性も、ここにこもってかつらに髪粉をふりかけるおすスペースだった。パウダールームは、ビクトリア朝時代を生き抜いてきた。当時の礼儀正しい女性たちは席をはずす際、立ち上がって「お化粧を直してきますわ」と言ったものだ。それなりの環境で育ったそれなりの年代の女性たちは今でも、この愛らしい言い方をする。狭くて窓がなく、軒下にあることも多かったパウダールームは、今日でも存在している。トイレがいくつもの階段下に押し込められたおかげで、お客は、階上にあるその家の主人が静かに落ち着く場所を通り抜けなくてもすんでいる。

ある友人は、一二〇年前にニューイングランドに建てられた、洗練された広大なフェデラルスタイルの家に一〇年ほど住んでいる。あらゆる意味で理想的な家だ。一階にトイレがないという点を除けば。そのころ建てられた多くの家の一階にあるトイレは、たとえ小さなパウダールームであっても、例外的なものであり、分別に欠けるとみなされていた。二〇世紀はじめの女性は、トイレに入るところを絶対に人に見られたくないと思っていた。友人夫妻に来客がある場合、その客はのろのろと二階に上がらなければいけない。二階では、どちらにするか戸惑うはめになる。つまり、廊下なかほどか、廊下に沿ってドアで仕切って作られたトイレを使うか。二つ目の選択肢は、地下の部屋に住んでいた使用人のトイレを使うか。最初、友人は一階にトイレがないことを奇妙に思ったが、そのうち、その不便さにいらつくようになった。夜遅く、だるさを感じるなか、それと相対立する尿意を感じるとき、彼はポーチ裏の茂みですませている。

今日、状況はまったく違う。「女性にとって、トイレは二つのことを反映するものです。一つ目は、女性の満足です。二つ目は、その女性がどれだけ自分を大事にしているかということです」これはビリーの意見だ。

となると、われわれがトイレを実用的な設備から、自分をリセットするオアシスとしたのは、いつだろうか？　最も単純な答えは、人間と科学技術の効率性が徐々に進化した時点、である。種としての人間は、家のなかでお湯を使うことができるというレベルから、電化製品を使いこなすというレベルまで変化してきた。トイレにコンセントがなかったのは、そう遠い昔ではない。富、しかもかなりの資産もそれに一役買ってきた。夫婦が寝室を美しく整えたら、その次は当然、同じくらいきれいなトイレが欲しいと思うはずだ。

現代風のトイレのデザインや設備の裏にあるもう一つの要因は、国内外を旅行する人がどんどん増えたということだ。イタリア訪問。国境の南側を訪れる週末旅行。サンタフェまでドライブ。多くの消費者に、質もデザインもいいものが欲しいと思わせるものは何だろう？　それは、消費者自身の美に関わる教育だ。アメリカは自由奔放な文化として知られている。子どもや両親が同じ密集地域に住んでいるという人はほとんどいない。今日、アメリカ南西部に出かけてお気に入りのタイルを偶然見つけたり、あるいは太平洋岸北西部で木材やガラスを探す人は、かなり多い。
数年前、当社はドバイランドの仕事を引き受けた。これはドバイにあるテーマパークだ。依頼主は、大勢のデザイナーを招いて仕事を任せた。そのうちの何人かのデザイナーはディズニーでも仕事をしていた。多くのアラブ諸国において子どもとは、自分が使ったトイレを流したことがない一〇代を指すことを、デザイナーに理解させるのに苦労した。中東諸国の青年には、一人で風呂に入ったことがない人もいる。いつも誰かが身体にせっけんをつけ、こすり、拭いてくれるからだ。

アメリカの風呂場にあるせっけんの進歩について考えてみよう。多くの人が、さまざまな目的で多様な種類のせっけんを手に入れている。スプレータイプもあり、昼間でも手を清潔にしておくことができる。女性の多くは自分専用の固形せっけんを用意している。バスタブやシャワールームには、多目的に使う固形せっけんがある。一〇代から大学生までの男子の場合、ボディソープとシャワージェルが、アイリッシュスプリングやアイボリーに取って代わっている。私は、これを女性という種からじわじわ広がった効果だと思っている。

キレイ好きな日本人

アメリカでは、清潔病にとらわれているのではないかと思うことがある。しかし、アメリカに来た日本人のなかには、清潔に関するアメリカ人の習慣にギョッとする人が多い。日本人はアメリカ人が独特の体臭を放っているのに気づき、毎日きちんと風呂に入っていないからだと考える。日本人の同僚のなかには、ホテルにバスタブがなければ泊まりたくないというのがいる。日本人にとって、入浴は儀式のようなものだ。日本の風呂場の床には、普通、真ん中に排水溝がある。日本の男性も女性も、身体をよく洗ってからバスタブに入り、時間をかけてゆっくり浸かる。日本では、バスタブは安らぎと瞑想の場所で、男性も女性も温度と湯気を堪能し、その静けさにひたる場所なのだ。これは神道から生まれた浄化の儀式だ。西洋の基準からすれば、風呂の温度はやけどするほど高い。日本人は、風呂に取りつかれた同胞を「風呂好き」と呼ぶ。そして、こうした風呂好きがめざす至福の状態は、ゆでだこと呼ばれる。つまり「ゆでたたこ」だ。

この国では、風呂場でも読めるように加工した雑誌も売られている。その雑誌にはふくらませる器具がついており、ページが水に濡れてしまうことはない。

私は日本に行くたびに、身ぎれいさを保つことに苦労する。毎日、熱い風呂に入るよう心がける。二四時間以上スーツを着る場合は、毎日蒸気をあてることにしている。目標は、「ジャパニーズ・クリーン」だ。これは、彼らに受け入れてもらうための重要なポイントだ。ひげそりの後に使うローションは控えめにするか、まったく使わない。魚よりも肉を好んで食べるせいか、何回風呂に入っても、外人《ガイジン》だし、動物のにおいをただよわせてしまう。人間は誰でも、清潔であるための各自の習慣だけでなく、食生活によって作られるシロモノである。同質な国においては、同国人どうしはお互いにいいにおいがする。しかし外国人は登場するだけで、まずその体臭で、存在感をアピールしてしまう。

日本の風呂はイスラムのトルコ風呂《ハマム》と共通点が多い。トルコ風呂は、ローマの温泉の流れを汲む。享楽主義を信奉する寺としてではなく、トルコ風呂は休息とイスラム文化の静けさを映し出している。建築的には、トルコ風呂は十字形となるように作られている。頭上は壮大なドーム型になった屋根だ。うっすらとした明かり。全体が蒸気と厳粛な心地よさでいっぱいだ。水浴びをする人は、お付きに手袋で身体をこすらせ、その後、頭のてっぺんからつま先までマッサージさせる。女性用のトルコ風呂では、お付きは砂糖を混ぜたものを使って髪をすく。次に、ヘナで髪を染め、花の香りのする水で肌を清める。最後に、静かにそこに座って、もうろうとした意識が平常に戻るのを待つ。

ガラス張りのトイレ・バス

結局のところ、女性は現代的なキッチンだけでなくトイレも洗練させ、自分の地位にふさわしく、尊敬を得られる場所にしたのである。また、今日、トイレの備品の多くは、ホテルやレストランのデザイナー、建築家のアドバイスやセンスで選ばれるのではないだろうか。香港にあるフエリックスというナイトクラブでは、男性は街を見下ろすガラスの壁にむかって用を足す。一九八〇年代にマンハッタンの人気スポットだったロイヤルトン・ホテルでは、男性は横一列になって水が流れる壁に向かって用を足すしかなかった。子どものころから、お互いの性器から目をそらすことに慣れていたジェンダーにとっては、破壊的なデザインだった。なかには、下品な要素を加えた設備もあった。モントリオールのWホテルでは、寝室とトイレを隔てるのは壁一枚だ。その壁にはのぞき穴があって、シャワーを浴びたり、用を足している連れをのぞき見ることができた。そうしたければ、だが。また、多少、あるいはある程度、露出症的傾向がある人向けに、マンハッタン南端部にあるリヴィングトン・ホテルは、天井から床までが窓になり、泡だらけの身体を通行人がじろじろと見ることができるような作りになっていた。

恥ずかしくなるか、人目が気になるなら、ホテル側はブラインドを貸してくれる。何の問題もない。

今日の高級トイレに最低限必要なものは、どのようなものでもいいのだが、スパ用のバスタブだ。とはいえ、少なくともアメリカでは、バスタブよりもシャワーの方が好まれているが。最近のバスタブには、女性が足のつめを切ったり、脱毛したりできるように小さな台がついているものもある（戸外の温泉が人気なのは、リラクゼーションを日常の儀式や家庭にまつわる責任から完全に切り離しているからだと思う）。

つまり、水浴びと清めに関しては、男性と女性には大きな隔たりがある。例を挙げよう。男性が服一着を持って試着室に入り、ぴったりだったら——即、買いだ。これに対して、女性はとてつもない快感を得ようと着せ替えごっこにいそしむ。

女性がお風呂場ですることとショッピングの関係

ショッピングの習慣に垣間見える男女の違いは、風呂場で過ごす時間の違いとしても表れる。男と女という動物を思い浮かべれば、女が風呂場ですることは男よりどれほど多いだろう？　数えてみよう。一覧にしてみる――お化粧を落とす、足とわきを脱毛する、身体を洗う、あかすりをして、うるおいケアをする、シャンプーする、コンディショナーをつける、鏡でお肌をチェックする――楽勝だ。

エンバイロセル社が先日、日本で行った興味深いリサーチを思い出す。われわれはかみそりなどの小型製品について調査した。結論のうち、かなり明らかだったことは、男性の毛の処理と脱毛は、女性の場合とかなり違っていたということだった。男性の場合、あごを剃り、口ひげやあごひげを整えて仕上げることによって、ある種の自信を感じることが多い。女性の消費者の場合、脱毛はうきうきしながらすることではない。足でもわきの下でも、毛なんてものは女性が最もなくしてしまいたいものなのだ。以上。調査からわかったこととして、女性客は、（一）自分だけのための買物はしない傾向がある、（二）男性よりも使い捨てかみそりを買う傾向がある、（三）刃の枚数には関心がなく、デザイン重視。一方、男は、女性よりもはるかにブランド志向で、ひげをこまかく剃る追加の刃が気になってしまう――ジレットのマッハ・スリー・ターボ！こっちのシックはクアトロだ！――。パッケージデザインにはまったく頓着しない。

われわれは、かみそりといった女性の脱毛製品は男性用の売場の近くに置くのではなく、ランジェリー売場のどこかにおくべきだと提案した――そうすれば、女性の両足をなめらかに、うるおったものにすることは、マッチョや実用性といったものから切り離され、艶っぽいものとなるからだ。

もう一〇年以上も住んでいながら最近気がついたのだが、寝室のトイレの他に我が家に二つあるトイレには、小さな洗面台はあっても、棚はない。設計したのは、考えてみたら男性だった。収納スペースがないのだ。収納は、現代風の寝室を成り立たせる必要不可欠なものとして女性が持ち込んだものだ。つまり、予備のトイレットペーパーをしまっておいたり、化粧品や美容液だけを入れた引き出し、二つ目の引き出しはティッシュやコットンをつめこみ、三つ目はヘアクリップやシュシュ、四つ目は救急用品、五つ目は……

いくらでも続けられるが、もうスペースがない。

4

ホームオフィスとネットショッピング

パパとママの秘密基地

さて、今日のホームオフィスをのぞいてみよう。だが、のぞきこむ前に、パパとママの司令塔をちらっと見ておく方がいいかもしれない。

ホームオフィスがあればの話だし、間違って記憶していなければの話でもあるのだが、パパやママのホームオフィスというものは狭くて、風通しの悪い部屋だった。場違いな物もたくさんあった。見た目の悪いダークグレーのファイルボックスは引き出しがはずれて、元の位置に戻されたためしがない。古いシンガーミシン。KHL社のレコードプレーヤー。年代によっては、IBMのセレクトリック・タイプライターか初代のマックコンピュータもあった。山積みになった本がごちゃごちゃになって、何年もたった革表紙のいいにおいがしていたり。こうした紙やバインダー、画鋲を入れたボウル、クリップ、ペンや鉛筆、がらくたがごちゃまぜになった、まさに両親らしいこの部屋のどこかに、ダイヤル式の黒電話が置いてあった。ねじれたコードがへその緒のように絡まっている電話。誓ってもいい。

鳴りさえすれば、見つけられるのだけど。

気の毒なママとパパ。一〇代の子どもと同じで、二人にとってこのホームオフィスは家のなかの避難場所になっている。夕食前か後かもしれないが、二人は用心深くドアを閉める。家族が二人のプライバシーに気をつかってくれることを期待しながら。礼儀正しくノックしたり、ドアをちょっと開けて何か聞こうとしたり、どうでもいいことを話そうものなら、二人とも迷惑そうな顔をするはずだ。

どうして？　申し訳ないが、ホームオフィスは二人がきみから逃れるための場所だから。ごめんよ――でも、事実は人を傷つけるものなんだ。

その後、事態は変わりつつある。

二〇〇五年初めに米国建築家協会が発表した調査によると、ホームオフィスは、間取りの一部として、最も求められるものになった。ガソリン代の値上がりだけでなく、テクノロジーにかかる費用が安くなったことや、その選択肢が増えたこともあって、臨機応変さを求める希望の表れだろう。それに、維持費がかからず、オープンで多目的に使える設計に家主が関心を持つようになってきたからでもある。

考えてみれば、最近の女性が実際にオフィスに通わなくなった結果、ホームオフィスは、外界を家庭領域に持ち込む手段となった。デスクトップコンピュータかノートパソコンを使い、高速インターネットがあれば、外の世界が家にやってくる。プライベートでも業務上でも、デリバリーを毎日頼んでいるようなものだろう。必要なら、ダウ平均株価をチェックできるし、一〇日間の天気予報もパッと見ることができる。お気に入りのテレビ番組が始まる時間や、オーブンを消すタイミングにあわせてアラームをセットしておくこともできる。まるで家族も含めた世界全部が手の届くところにあって、すぐに利用できるようなものだ。

昨今のホームオフィスは、両親の世代とは異なり、くつろげるスペースになった。女性からすれば、子どもにいりびたってほしい部屋なのである。大声をあげず、クランベリージュースをモデムにこぼさない限り、何でもしていい部屋。

実際、理想的な設計になっている。

女性客を意識したオフィス用品

今日のホームオフィスの原型は、小規模のファミリービジネスだ。しばらく前、ベスト・バイやオフィス・デポ、ステープルズといった大型小売店は、最近のホームオフィス文化に最も影響力を及ぼしているのは、女性という種であることに気がついた。ステープルズやオフィス・デポに出かけて、こうした店舗が産業的なイメージを払拭し、よりソフトで風変わりですらあるものに傾いている様子は、目をみはるほどだ。かつて、大量のコンピュータ用紙や、黒から白といった色味のバインダーを置いていたのが、今は、赤からアクアブルーまでさまざまなカラーのバインダーや、いろいろな組み合わせの文房具を棚に並べている。紫やオレンジ、黄色の封筒に、グリーンや赤の便箋がセットになっていることも。

もちろん、印刷用紙はまだ置いてある。ただ、売場が女性客を意識したというだけのことだ。オフィス・マックスが取り入れた新たな趣向は、五〇〇グラム分が九・九九ドルで買える一種のバブルガムマシン（量り売り）だ。女性客は、ヘンな形をした流行のペーパークリップや押しピン、カラフルな大型クリップを選び、重さを量って、レジに持っていく。サラダバーを想像すればいい。ただ、黒オリーブやモッツァレラチーズの塊の代わりに、女性は、単なる機能性を超えた遊び心いっぱいの事務用品をとりあわせて選ぶことができるというだけのこと。オフィス・マックスにすれば、この利益はかなりのものになる。男性という種にすれば、こうした安物は無駄にみえるかもしれない。しかし、女性にすれば、戦略的な動機がある。創意工夫にあふれた紙のまとめ方を考えるかもしれないし、自分自身を伝える手段としてのカラーととらえるかもしれない。住まいの雰囲気に合わせたのかもしれない。

男性は色に無頓着ということだろうか？　そうではない。ただ、今日の事務用品店がホームオフィスを作る際に、女性の意向が大きく働くことを意識しただけのことだ。それは、壁にかけられたバインダーであり、ステープルズが売り出している職場に活気をもたらすような作り物のパームツリーなのである。あるいは、ステープルズのウェブサイトでは、リーセズ・ピーシーズからトゥイズラーまで、年がら年中、キャンディを買うことができる。エンバイロセルのニューヨークオフィスではとても好評だと言っておこう。甘い物が欲しいときに、ステープルズ社の技術支援サービス窓口からちょっと離れたところでゴディバのチョコレートが売られていても、不思議なことは何もない。

つまり、働く女性にとって、ホームオフィスは往々にして二つ目の指令席なのだ。キッチンは家庭という社会における事実上の本部なのかもしれないが、ホームオフィスには明るいモニターがあり、コードやイーサネットケーブル、インストールマニュアル、予定を書き込んだカレンダーがある。キッチン周りだけでなく、家全体のことも、家族の生活のことも書き込んだカレンダーだ。こうしたものが、効率的に機能している場所がホームオフィスなのである。女性の日常的な職場生活については、家庭の長である女性は、職場からファイルや書類をアップロードすることができるし、夜遅くに受信した急ぎのメールを読むこともできる。職場のコンピュータをファイルでいっぱいにさせつつ、家のコンピュータにもコピーを取っておく。要するに、居心地のよい家からでも効率よく仕事をこなすことができ、同時に、家庭生活の状況も定期的にチェックできるというわけだ。

その理由？　現代的なホームオフィスは、仕事だけでなく、女性が家庭と家族に関する役割もこなすスペースという、家族の「コンピュータ・ルーム」としても使えるからだ。ここは誰でも入っていい――子どももね！　家族に関して言えば、女性は、子どもが学校のウェブサイトから宿題をアップロードして、絶滅危惧種に関するレポートに取り組んだり、フランス語の動詞活用を勉強していることを確認できる。自分のノートパソコンに打ち込むのに忙しいとしても、みんなが同じスペースにいるからこそ、女性は、みんながやるべきことをやっていることを確認できる。その一方で、主婦としての仕事をこなし、メールに返事し、おろしワサビ入りマッシュポテトのレシピをEpicurious.comで探し当てることも、アマゾンで本を注文することもできる。あるいは、おもしろそうだし、大丈夫そうだと思ってフェイスブックのアカウントを作れば（ともかく、ママには似合わないという子どもたちの意見に耳を貸さなかったということだ）、昔の同級生やずっと連絡を取っていなかった友達ともパソコン上で交流することができる。

過去一〇年間、ヒューレット・パッカードで製品開発を進めてきた女性のおかげで、業界用語でMOPYと呼ばれるものが取り入れられたのを目にした。これは、Multiple Original Printsの頭文字にYを加えた造語だ。言い換えれば、「MOPYできるのに、なんでコピーを取るの？」だ。オール・イン・ワン・プリンターとして、よく知られている。この贅沢な工夫に組み込まれているのは、ファックス機能、古い写真やファイルなどを読み込んでデータ化するスキャナー機能、モノクロにもカラーにも対応するコピー機能である。もちろん、プリンターとしても使える。女性は、家族の歴史を管理する事実上の責任者であることが多い。MOPYがあれば、数メガバイトで誕生日や記念日や旅行の写真をアップロードできる。それをCDに焼き、ケースに入れて、ラベルをつけ、名前と日付を使って引き出しに整理しておく。反ってしまった古い写真やポラロイドを何箱も取っておくのは、もう終わりだ。

多機能であるがゆえに、ＭＯＰＹはおそろしいほど時間の節約になる。繰り返しになるが、これは、これまでいくつかの機能（重要な書類をコピーする、ステープルズからファックスを送る、ウォルグリーンで写真を現像する）に関わっていたものを、家庭にある一つの機械に取り入れようというアイデアを広げたものだ。さらによいことに、差込プラグは一つですむ。

つまり、主婦は一日の最後に、みんなの書類をプリントし、スキャンし、コピーし、ファックスしてしまえるということだ。それこそ、シロクマについてのレポートから、フランス語の動詞のワークシートやエクセルの表まで、なんでもありだ。

こうした考えを魅力的だと思うか、おそろしいと思うかは別にして、二一世紀の子どもたちを部屋に呼び込む確実な方法は、テクノロジーを用いたものだ。つまり、大画面テレビやコンピュータ、Ｗｉｉだ。テレビ画面は光を出す。画面にスイッチが入り、視線を引きつけ、暖炉のように安らぎを与える。暖かい暖炉の前にいれば、身体も幸せを感じていたかもしれないが、フェイスブックのように人とのつながりを約束することはできない。これはまた別の温かみなのに。Ｗｉ－Ｆｉやワイヤレスのブルートゥースという技術があったから、ホームオフィスが可能になった。同時に、物理的な境界を格段に広げもした。今日、ホームオフィスは寝室やダイニングルーム、キッチンテーブルにまで広がっている。確かに、家やアパートを配線でつなぐなら、コンピユータに中央モデムやルーターが必要となるだろうが、Ｗｉ－Ｆｉテクノロジーのおかげで、背もたれの高い椅子に座って机に向かう必要はなくなった。その代わり、ノートパソコンとコードを持ち運んで、布団や地下室のソファの上、あるいは家やアパートから一三〇メートル離れたハンモックにゆられながらでも、ネットサーフィンをしたり、せっせと働いたりできるようになったのだ。

人口密集地域に住んでいるせいもあって、わが家のネットワークに接続するたびに、たった一ブロックでもＷｉ－Ｆｉの利用者がこんなにもいることに、毎回驚かされる。近所のアカウント名は、「リース家」、「ジョーンズ・メリル」、「やんちゃな犬」といったものだ。それぞれがコード名を要求する。うちのＷｉ－Ｆｉにも、もちろんコード名がある。すまないが、私も隣と同じく、わが家のネット空間については縄張り意識があるのでね。

心ゆくまでネットサーフィン

フルタイムだろうがパートタイムだろうが、子どもをかかえて働いていようが、そのどちらもであろうが、ホームオフィスもコンピュータも、今日の女性が心ゆくまでネットサーフィンできる空間になっている。ウェブサイトからウェブサイトを、おかげさまで誰にも見られることなく、何かを買わされることもなく、ただのぞきまわることができる。女性（その意味では男性も）は、

CNNや『ハフィントン・ポスト』（米国のインターネット新聞）、イギリスの『ガーディアン』、フランスの『フィガロ』からニュース速報を得ることもできる。それに、ターゲットやJクルー、ポッタリー・バーンで最新のファッションやセールをチェックしたり、ダンナは五〇歳の誕生日に何が欲しいだろうかと考え始めたり、一〇代の子どもの寝室にかけるコルクボードを探すこともできる。買物の下調べをすることもできる。ネットで製品について調べておけば、生身の店員と顔をあわせる段階になっても、事実や数字、仕様、試供品を駆使し、自信たっぷりで交渉を進めることができるわけだ。

こうして、ほとんど偶然だが、インターネットは実際の小売店舗にとっても有望な情報源となっている。家にいて、とにかく気分が乗らないという女性が新しい携帯電話や冷蔵庫を買いたければ、商品についてネットで調べて、いくつかの口コミレポートをチェックして、最寄のベスト・バイやシアーズまで車ででかけ、探しものを買えばいいのだ。

エンバイロセル社は、「二次的買物療法」と名づける要因が女性のネットユーザーにあることを発見した。たとえ、最先端の大都会から遠く離れた小さな村に住んでいたとしても、ブラウザを通して、ニューヨーク・シティやロサンゼルス、ダブリン、東京の最先端の商品をウィンドウショッピングすることができる。まるで、すばらしく生き生きとした女性雑誌をめくって、ぶらぶらしているようなものだ。たくさんの店やホテル、観光地を見てまわることができる。ほとんどは予算の範囲を超えているだろうが、後ろめたい思いはまったくない。あるいは、のぞき見しているという気も、気恥ずかしさを感じることもない。関係ないわと思うだけだ。

何が女性をウェブサイトにひきつけるのかを調べてみたことがある。第一に、楽しいと思わせるものがあること。また、そもそもの目的を明確にしておくことも必要だ。初めての人に向けたサイトなのか、リピーター向けのサイトなのか？　そのサイトを毎日訪問させるために、ウェブデザイナーはどんな工夫をしているのか。楽しませるのか、徹底して満足させるのか、それとも現実逃避のスペースにするのか。おびただしいほどある他のサイトからどのように差別化するのか？

ウェブデザインの視点で言えば、継続してメンテナンスをすることにも大きな効果がある。最近、にわとりの育て方に特化したサイトを発見した（ここで突っ込みを入れるのはやめてほしいが）。最後に更新されたのは数年前だ。なんだか時代遅れで、怪しい感じがしたので、さっさと別のサイトに移ってしまった。

女性向きのサイトに共通するもう一つの要素は、環境を整えていることだ——家具を揃え、壁紙を貼った部屋のデジタル版だと思えばいい。アマゾンはこれをとてもうまくやっている。リストを常に更新し、これまでの買物歴を基にいろいろ勧めてくれるからだ。このサイトと私はお互いを知り尽くしているし、お互いに気に入っているし、どちらもムダなく効率的にすませることができる。女性をひきつけるウェブデザインとしては、色やおもしろい形も効果的だ。男性チックな直角を多用しているサイトがあまりにも多い。コンピュータももちろん長方形だ——基本的にはハコなのだから。そう思えば、カーブした渡り廊下の屋根や、ゆるやかに傾いたデジタル式のアーチがあったら、少しハッとするのではないか？

もし女性向きでないサイトを探しているのなら、オフィス製品を扱う大型店舗のホームページをいくつか見るといい。無味乾燥とはこのことだ。まるで道具のカタログのようだ——その単純さが、一番手ごわい敵だ。Hotel.com や Travelocity はあまりにビジネスライクで、形式ばらないインターネットブラウザを活用するということをすっかり忘れている。もう一つ。あまりに情報量の多いサイトに行き着いてしまったら——あるいはおせっかいだったり、おしつけがましかったりしたら——その女性は、さっさと退散してしまうだろう。すでに書いたように、女性は、男性よりもはるかに、自分が安全であるかどうかを気にするからだ。あまりにも多くの情報を即座に要求するようなサイトは、不愉快な人からなれなれしく話しかけられるようなものだから。

女性向けのインターネットブラウザのもう一つの重要なポイントは、時間と労力を節約するものであることだ。女性は、ホームオフィスのインターネットを使って、買物をし、お金と余計な遠出をくり返す手間を節約している。クリスマスと誕生日？　単純に、カートに追加してクリックして、送ればいい。そのシーズンならではの楽しい気分をなえさせるような、長くてくねくねした列を避けることができるし、車庫から車を出さなくても楽しい気分を維持できる。仕事の途中であっても、もしベビーブーム前半までの世代であれば、エチケットとして、メールで礼状を出しても大丈夫かどうかを考えることはできるだろう。あるいは、昔ながらのやり方で礼状を書いた方がいいかもしれない（現代作法の専門家に言わせれば、便箋にペンで丁寧にしたためるには及ばないが、お礼のメールを送るのもまったく問題ないということだった）。また、寝室が二つしかないモダンなマンションでは置き場がないような、いずれ相続することになる東洋風の重い敷物や振り子時計三台を売り払う方法を考えてもいい。

今日、女性が古いキャビネットを持っているとしたら、それはコンピュータやＭＯＰＹから印刷したものをしまう場所になりかねない。その意味で、コンピュータは中間業者として役に立つ。女性の生活と、郵便受けをあふれ返させるような外部からのデータを高速処理して、凝縮してくれるのだから。

最後だって？　彼女が『スクール・オブ・ロック』を夫や子どもと一緒に一二回も見るのはいやだとしたら、どうしたらいい？　『プリティ・プリンセス２／ロイヤル・ウェディング』にうんざりしたら？　ジャック・ブラックとアン・ハサウェイが好きなことをしているのを家族が見ている間、主婦はホームオフィスにこもって、デスクトップコンピュータにＤＶＤをセットすればいい。みんなが気づいてしまう前にｉＴｕｎｅｓからダウンロードした、グラナダテレビ制作の『情愛と友情』や『ドクター・ハウス』シーズン５のＤＶＤだ。

三〇年前に、母親世代が自分のオフィスのドアを閉めて経験したことだ。ソール・ベロウを引用すれば、家族に囲まれていながらの孤独。それが幸せというものだ。

5

エクササイズに夢中

中年男性をよそに

地元のスポーツクラブにいる。運動するためじゃない。観察するためだ。

一日のうちの数分をひねり出して、中年男性の平均的な一日を観察しているところだ。対象は、ある年齢を超えた男で、世間によくいるタイプ。自分の健康を気にしている。この男は東海岸や西海岸に住んでいるわけではない。だから、多くても年に二度、地元で行われる公開講座のときに「ルッキング・グッド」を予約する。今日は、せっせとエアロバイクとノーチラス・サーキットに励んでいる。ここはスタジアムくらいのスペースで、周りの壁は鏡。そこに、大きなかたつむりみたいな磨きこまれた最新のマシンが置いてある。どちらを向いても、自分がこちらを見つめている。壁にはテレビが八台あって、ホームドラマからCNNまで流している。『トゥルー・ハリウッド・ストーリー』はロックスターの奥さま方の特集だ。

ヤツは、そろそろ五〇に手が届くくらいかな。身体を見れば、ありとあらゆる男性の腹がどうなるのかがわかる。いい証拠だ。一段飛ばしで階段を上ろうが、エスカレーターを使おうが、そんなことは関係ない。自分の腹まわりにいらいらしている。「余分なお肉」は親しみをこめた、まわりくどい言い方だ。要は、ヤツの腹は出つつあるってこと。尻は下がってきた。胸はむくんで、やわらかい。目の下には、たるみとしわ。顔中にシミがある。廊下を歩いても、魅力的な女性が彼に目を向けることは、もうない。そのことにいらついている。銀行窓口の女性がお世辞を言うことすらなくなった――ＡＴＭを使う理由の一つはそれだ。彼の人生に、素直で愛すべき女性がいたことを神に感謝しよう。

だが、ヤツは一矢報いることを心に決めたのだ。だから、ジムの会員になった。今でも家の地下には昔のウェイトスタンドがある。加えて、サイズも重量もさまざまなウェイトプレートもいくつかあるが、一〇代の息子が友達と勝手に使ってしまうから、我らが中年男性は一時間でもあればジムに通うはめになったのだ。

なのに、一年の会員期限が切れるとヤツは資格を更新せず、その後五年間、会員に復帰することはなかった。一日二〇分の運動を始めないかぎり、もう診察しないと内科医が言うまでは。歩くなり、走るなり、何でもよかった。一週間に三回、運動するならね。

この時、ヤツはルームランナーに白羽の矢を立てたのだ。妻が何年か前に買って、週に三、四回ほど使っているやつだ。妻が購入したときは、金の無駄だと思ったものだったが、今では、自分は知らなかったことを妻は最初から知っていたということが、彼には不思議だった。彼女は、彼がルームランナーを使うことは受け入れた。ただし、使った後に消毒すること。

女性がジムに通うわけ

真剣にウェイトリフティングをやっているのか、それともスポーツに入れ込んでいるのか、あるいは単にスタイルをキープしたいと思っているのかに関係なく、女性はスポーツクラブによく通う。問題は、ジムが視覚的にも感情的にも、肉体的にも、刺激が多すぎるということだ——かたく引き締まった身体にスパンデックスを身にまとい、屈伸して、腕を上げて、筋肉を見せびらかしている。ツールの重さのすごさと言ったら。ラッキーなことに、どちらのジェンダーにとっても、最近のジムはすべてマルチタスク仕様だ。テレビを台に乗せて天井近くにおいてあるだけでなく、いいルームランナーの正面には小さなスクリーンが埋め込まれている。ヘッドフォンをつけてその辺を走りながら、『レギス・アンド・ケリー』や地元のニュース番組を見たり、リフォーム番組、昨晩の『ジョン・スチュアート』の再放送を見ることだってできる。ステアマスターを使いながら、ポッドキャストでダライ・ラマのインタビューを聞くことも、通勤時間と重なって聞き逃していたナショナル・パブリック・ラジオ（米国の公共ラジオ局）のボノのインタビューを聞くこともできる。エアロビマシンには、本や雑誌が読めるようなスタンドがついているものもある。

スポーツジムがこうした器具を買い入れたのも、家庭のスポーツジムが手ごわい競争相手だと気がついたからだろう。なぜかって、もし十分なスペースがあったら、女性の多くは自分の部屋で一所懸命、身体を動かすだろうから。「健康」は、今のはやりの言葉らしいし。

この言葉を揶揄しているわけではない。多くの女性にとって、「健康」や「バランス」といった概念は、自分自身とのあいまいな関係にカタをつけることと大いに関係がある。自分にも関係があることに気づかせてくれる場合もある。つまり、「自分らしさは一体どこに行ってしまったの？」女性は、社会のあちこちで多くの役割を担っている。彼女たちは妻であり、母であり、労働者であり、娘でもある。高齢化した両親にとって最も重要な人物なわけだ。自分のために九〇分使うというのは、男性よりもはるかに当然の考え方だろう。結局、あまりにも多くの人が女性に頼りすぎている。子どもがいれば、妊娠や出産という身体的な経験から続く負担があるはずだ——言うなれば、女性が自分のための時間を持たなかったら、人生で誰にも手を貸せなくなってしまうのである。

労働統計局の報告によると、全米で、高等教育を受けた人は男性であれ女性であれ、スポーツを楽しんだり、なんらかのレクリエーションをする割合が高い。カレッジを卒業するだけでも、スポーツをする割合は二倍になる。どちらの性別が高等教育の大半を占めているのかはすでにわかっているし、今後数十年間はその傾向が続くだろうから、これは納得のいく話だ。

女性にとって、自宅ジムは、身近にあってすぐに行けて、自分の好きなように使えるという、すべてを満たすと同時に、自分にとっても有益なものである。多くの女性を悩ませるような、わずかばかりの負い目を感じることなく家事をこなすことにも関わりがある。要は、家族のためにならないようなことに時間を費やすとしたら、女性たちは責任を放棄しているか、自己中心的であるかのどちらかだとされてしまうからだ。ということは、自宅ジムがあれば、忙しい女性の限られた時間を凝縮し、マルチタスクをこなすことが可能になるのである。一時間かけてステアマスターで汗をかき、足踏みをし、あるいはエクスターサイクルをこぐ。それから、ひと泳ぎし、屈伸と腹筋、ヨガ、ダンベルをこなす。こうしたことは、全体に気配りしつつ、自分の身体と精神の健康にも配慮するすぐれた方法だ。

同じく労働統計局によると、女性は家族とスポーツをする傾向があるのに対して、男性は友人とスポーツを楽しむようだ（男性の場合、これは、三角関係のきまずさを解消するための手段だ）。新米ママはジョギングをし、赤ちゃんは横になって眠るというジョギング用ベビーカーの開発がこの流行のきっかけだろう――妊娠前の体型に戻ろうとするママは心拍数を上げ、新鮮な空気を吸う。赤ん坊にとっては、なんとも奇妙な経験ではあるが。

ほとんどの男性の人生の転換点において、虚栄心は二次的なものでしかない。自分の身体を優先するというのは、どうでもいいことだし、気取ったことだし、なにより男らしくない。伴侶探しの時期をすぎれば、そうしたことからおさらばすることが男性には期待されているのだ。四〇代、五〇代終わりの典型的な男性は、自分の身体が無駄なく運搬するための道具と化すのを受け入れている。その数十年間、男は仕事での成功と、家族を養う経済力とで評価されるというのが常だった。男の更年期障害も現実だろうが、それほど分かりやすいものではない。女性の場合、肉体的、ホルモン的に変わったという自覚がかなりはっきりしている。なるべく、かつ、ずっときれいでいるために、男性以上に努力している女性にとって、エクササイズは健全な人生を送るために欠かせない要素なのだ。

繰り返しになるが、女性をターゲットにしたインフォメーション広告は、こうした自宅ジムの環境整備に確実に一役買った。自宅用のエクササイズ器具の宣伝で、どのような魔法のマシンが販売されるのであれ、科学や空気力学にはほとんど時間を割いていない——そうした内容は男のものだから。代わりに力を入れるのは、週に一、二回、たった二〇分間だけで、女性が自分の腹筋をいかに引き締めることができるか、おなかをへこませることができるか、お尻を小さくすることができるか、といったことだ。ボウフレックスは男性にはよく売れた。だが、女性にかなりの数が売れたのは、アブローラーのような道具だった。

想像してみよう。女性が、このゆらゆらする装置に乗って、床でストレッチをしている。ハンドルをにぎり、前後に身体を揺らし始めた。一〇分後、この女性は自分の腹筋が引き締まったと断言する。が、それ以上にいいことは一〇分だけということだ。一〇分だよ——これだけで彼女は解放され、その他の家事に取り掛かるのである。

女性の手が入った自宅のエクササイズルームは、たいてい、静かに瞑想するための空間という特徴を兼ね備えていることが多い――ヨガやピラティスのマット、アロマキャンドル、ｉＰｏｄのスピーカーが一組とエクササイズ用の曲目リスト、ＤＶＤにつなげたテレビまである。このスペースは、早起きした女性がコーヒーを床に置いて、男性であったり女性であったりするインストラクターの動きを真似る場所だ。インストラクターはたいがい、風光明媚な場所にいる。よくあるのはハワイだな。

女性とヨガ

ヨガには二万六〇〇〇年の歴史がある。もともとは男性が鍛えるためのもので、インドの洞窟で行われていたのが最初だ。この呼び名自体はサンスクリット語の「ユッジュ」から来ている。この場合は、普遍的な精神に加わるとか、一つになるといった意味だ。しかし、今日では、どのヨガスタジオに行こうと、どのクラスに参加しようと、およそ九〇％を占めるのは女性だ。時間的な制約もあるだろうが、圧倒的に女性が多いということもあって、おそらく大半の男性は参加をためらうだろう。ヨガはゆったりしている。内面に目を向けるものでもある。完璧主義でも、相争うものでもない――少なくとも公には。ヨガにのめりこんでいる友人は、ヨガは、外面的にも内面的にも、バランスというものを教えてくれると断言している。それは、一日の指針となるようなバランスなのだと。

断然女性が多いヨガの例外は、ビクラムヨガのような鍛錬のポーズを組み合わせたものだ。このヨガは室温を華氏一〇〇度（摂氏三八度）まで上げた部屋で行うもので、ヨガよりもパリスアイランドの海兵隊新兵訓練基地に通じるものがある。唯一ちがうのは砂だらけにならないことぐらいだ。身体が消費するのは、約七五〇キロカロリー。冗談の一つも言わないインストラクターがヘッドフォンマイクで命令をどなりたてる。うめき声やら愚痴やらため息やら、周りの声は野獣のようだ。性的といってもいいくらい。ビクラムをやるとクラクラすることがわかっている。吐いたり、鼻血が出ることもある。そうした不快な状態でも、続けるように言われるのだ。昨今のグラディエーター部隊をひきつけるのも不思議じゃない。だが、女性のビクラム兵も多い。

自宅ジムが好き

考えてみれば、自宅ジムなら会費はいらないし、他に誰もいない。誰も見ていないし、好きなだけエクササイズを続けていられる。一つしかない順番待ちリストに名を連ねているのは、今日は運動するかどうか、運動するなら朝にするか夜にするかを決めるその家の主婦だけだ。

私たちは、「魂が込もったエクササイズ」と呼ばれるものを女性が大事にする時代に突入した。ひざに負担をかけたり、バシバシたたくような時代はもう終わった。自転車で一五キロ走るとか、一〇キロの上り坂を走るといったこともなくなった。それに代わって、ピラティスやヨガ、ウォーキング。iPodを持って、エックハルト・トールやスー・グラフトンの最新作の女優による朗読や、もしかしたら、ジェームズ・アール・ジョーンズが欽定訳聖書を大声で読み上げるのを聞きながらエクササイズする時代なのだ。車でジムまで行って、スポーツウェアに着替えて、人が殺到するステアマスターに飛びついて、ヘンな男のいやらしい視線を避けて、小汚いシャワールームでシャワーを浴びて、いつもの服に着替えをして、職場に行くか、家に帰るか——時間帯によってだろうが——そうしたものより、はるかにいいじゃないか。それだと、女性を健康にして、落ち着かせて、若返らせるというそもそもの目的を、くたくたで不愉快な二時間にしてしまいかねないのだから。

こうしたことに気がついて、ますます多くのスポーツクラブが昨今の時間に飢えた女性のニーズに合わせるようになっている。カーブスがそうだ。ここは、三〇分サイクルの運動で、九〇分の効果を約束している。女性会員は四〇〇万人もいる。グラノーラ・バーやポップコーン、ビタミン剤、タンクトップ、カプリパンツのシリーズまで立ち上げたほどだ。最近のジムに関しては、ラットプルダウンの使い方や三頭筋の伸ばし方を教えるのはヘラヘラして調子のいい、日焼けしすぎた専門家だけという時代は終わったのだ。今日、よくあるスポーツクラブは、男性トレーナーと同じくらいの女性トレーナーがいる。最近のスーパーマーケットにボストン・マーケットやダンキン・ドーナツがあって、お客がファストフードに落とす金と競っているように、多くのジムが独自のヨガやピラティス、ロッククライミングのクラスを設けたり、マッサージを用意したりして、独立のスタジオと張り合っている。カフェを開いたジムもある。そこでは、女性二人が座って、デザイナープロデュースのスパークリングウォーターを飲む。あるいは、クラブのWi‐Fiを使って、CNNの最新ニュースをチェックしてもいい。店では、全粒粉のマフィンやターキー・アルファルファ・サンドイッチといった料理を出している。

つまり、自宅に自分のエクササイズルームがあって、出向いてくれる個人トレーナーや、ヨガやピラティスのインストラクターを雇いたいと思って、なおかつそのお金が女性にあれば、広くて人が多くて鏡がありすぎて、いいマシンを予約するために書き込まなくてはならない予約用紙がたくさんあるような公の場を利用するよりも、はるかに、家での仕事が続けやすくなるのである。ジムに通うのは、一日のうちの時間を使うだけではない。公の場所なのに、自分ひとりで行うという孤独な経験でもある。自分と、ずらっと並んだ人間味のないマシンとの心の会話なのだ。これに比べて、家のパーソナルトレーナーは、女性自身のそれぞれの自己イメージを作りあげ、長続きさせてくれるのだ。なおよいことに、通う必要がなくなる。とりわけ、密集した都心部の場合、これはささやかな問題ではない。自宅ジムなら、虚栄心も見た目の問題も気にしなくていい。家でなら、七五人がアブマシンを使う自分を見つめることはない。熱心に応援してくれるトレーナーだけだ。誰かががんばれと励ましてくれれば、エクサイズの目標を達成するのはいつでもたやすいことなのだ。

自宅ジムは女性が理想を達成するためだけにあり、達成するために何らかの問題に直面する必要がなくなる。部屋をあつらえるかどうかは別として、自宅のエクササイズコーナーというものは自分自身のためだけに設けられるのだ。

6

リフォームへのこだわり

自分のことは自分で

私は子どものころから思春期までを外国で過ごした。父が外交官だったためで、家族でインドネシア、マレーシア、フィリピン、韓国、短い間だったがポーランドで生活し、その後アメリカに帰国した。ワルシャワでは掃除と食事の支度のために一人だけだったが、その二年を除けば、子どものころは常に複数のお手伝いさんがいたものだ。マレーシアでは、コック、二階担当のメード、庭師が二人いた。韓国では、コック、二階と一階にメードが一人ずつ、使用人、庭師が二人、運転手。我が家が風変わりだったわけではない。その業務にはつき物なのだ。極東地域の大部分では、中流程度の家庭でさえも、住み込みのお手伝いさんが一人はいるものだ。親友のホセ・ルイス・ヌエノはバルセロナに一人で住んでいるが、フィリピン人のメードを二人雇っている。どちらか一人が二四時間、常駐している。二人ともそれなりの給料を稼いでいる。これに驚く人などいない。

世界のどこか、特に新興市場に出かけるたびに、使用人という身分が普通であることを思い知らされる。例えばブラジルの上流階級の家には、暇な時間にキッチンでデザイン雑誌やファッション誌をぱらぱらめくっているような使用人がうじゃうじゃいるはずだ。ブラジルでは、アメリカと違って台所は使用人がたむろする場所だから。アメリカでは、家族が集まって、その日に何があったのかを話す場所なんだが。では、この国では住み込みのメードはどこにいるのだろう？ほとんどいなくなってしまった。超がつくくらいの大金持ちは別にして、われわれの多くは自分の家の家事は自分でこなすようになったから。

エンバイロセルが消費者と電気掃除機についての初めての仕事を請け負ったとき、ウォルマートで調査を行った。対象は、掃除機を買いに来たカップルだった。われわれが気づいたのは、男性はとても、つまり、かなりの割合でということだが、見ている製品の馬力に興味を示した。男どもは、吸引力やスピードをパワーに結び付けたのだ。彼らは、掃除のために、本物のハマーエンジンがついた掃除機を欲しがった。明らかなセールスポイントとして、われわれがメーカーにしたアドバイスは、掃除機のアンペア数の説明を最初に持ってくることだった。

我が家には掃除機が三台ある。一台は一階に、一台は二階、それに小さなものが台所にあって、すぐに散らかるのを掃除するために使っている。この文化において、女性が優位になったのは、パワーだけでなく、労力を省いてくれる道具が登場したからだ。なかでも、今日もっとも知られているのは、おそらくスイファーのモップだろう。スイファーはドライクロスで始まって、その後ウェットクロスに移行し、今ではスプレーでも売っている。これは家庭向けの化学製品宅配システムで、スピードと効率性が命だ。もちろん、基本的に環境によいものではない。

隣人が二酸化炭素排出量について延々と語っているとしても、彼らの台所をのぞけば、スイファーだらけなのだ。いつでも。

私が五年生と六年生を過ごしたマレーシアでは、母は、週に一日は使用人を家に帰し、本物のアメリカン・ファミリーのように家族で過ごした。アメリカにいるのと同じように。妹と私は自分でベッドを整え、母はアメリカンスタイルの食事を三度、用意した。金持ちの家に育った母の料理の腕前は、最低限でしかなかった。たいがいはグリルチーズ・サンドイッチだったから。このアメリカン・ファミリーの一日が終わりに近づくと、母はちょっとほっとしていたに違いない。

アメリカに帰国して、メリーランド州チェビーチェースに戻ると、週に一度、メードが通ってきた。母は家族のものの洗濯の一部だけを引き受けた。私は遠く離れたニューイングランドの学校に入れられた。寄宿生活だったから、他の男子学生たちと一緒に自分で部屋を掃除し、ベッドを整えなければならなかった。初めて洗濯機と乾燥機の使い方を学んだのは、家から離れてからだ。これも楽しかったよ。

自宅では、身だしなみ用の製品がとても気になっている。男として人生を生きてきて、注目すべき工夫を目にしてきたし、使ってみたこともあった。ブルーブレードからステンレス製の刃に変わり、片刃の安全かみそりになり、センサーストリップ付きの二枚刃、クアトロに至るまで。止血剤——ご記憶だろうか？　私は買ったことがないし、おそらくこの二五年間で見たこともないが。男はもうひげそりで切り傷など作らなくなったのだろう。少なくとも、首やあごをティッシュだらけにしていた昔ほどには。

同じことは掃除用品についても言える。スイファーは大きな進歩だった。事実上、モップに取って代わり、改良までしたのだから。また、この言葉だが——よりきれいな感じがする。可動式ヘッドは、これまでのモップが届かなかったところにも届く。絞ったり、時折、汚れた水を扱ったりしなくもいい。スイファーのヘッドが汚れても、取り替えるのは簡単だ。エンバイロセルではこういうのがお気に入りだ。女性にとって、電化製品がすべてではない。技術を製品に変えるのは、それがどう機能するかに関心があるからではない。関心があるのは、（一）どう機能するか、（二）自分たちの生活をどのように充実させ、豊かなものにしてくれるのか、ということなのだ。

が、それは、基本的な掃除に関してだけだ。女性のおかげで、家の維持は何もかもが機械的になった——同時に、女性ならでは、にも。

雪かきシャベルを持った近所の小さな子どもを覚えている？　彼はボビーと呼ばれていた。ボビーはヤドリギと同じくらい、アメリカの冬の典型だった。初めての吹雪がやって来て、学校が休みにでもなれば、ドアのチャイムがなって彼がそこに立っているという感じだった。ジッパーを全部締めて、手袋をはめ、玄関前を掃除し、つららをとりのぞき、車の周りの雪かきをするよと言うのだ。もちろん、五ドルか一〇ドルで、とは言うのだけど。

ほとんどの人は（遅くまで寝ていた一〇代の息子たちは別にして）、もっともなことだし、喜んで財布の口を開けたものだ。

おたくの場合は知らないが、ボビーはこの一〇年くらい、うちの玄関にはやって来ていない。猛吹雪がないからでも、私がニューヨーク・シティに住んでいるからでも、雪がすぐに溶けてしまうからでもない。郊外や準郊外に住む友人も、同じことを言う――ボビーはいなくなったね、と。

ここのところ、家の前でシャベルを使い、砂をまくのは、おそらくとても優秀な女性だ。一緒に住んでいる女性ということも、大いにありうる話だが。

だが、ちょっと待って。どういうことだろう？　これは何も、通常以上に家周りのことをこなす女性の隔世遺伝が再び現れたわけではないだろう？　ボビーがいなくなったのは、それ以上に大きな文化に必須の何事かの背景となっているに違いない。

最初に、車庫までの私道の雪かきをするといった単純作業は、この数年間、アメリカの子どもが軽視してきたことだ。避暑地の多くでは、いくつもの企業が数百人という移民の子どもを送り込んで、アイスクリーム売りやホテルの客室係、接客、給仕といった、アメリカ生まれの一〇代が手を出そうともしないような仕事をさせている。ある夏はブラジル人で、翌年はウクライナ人、そのまた翌年はそばかすだらけでニコニコしたアイルランド人の群れがナンタケット島やマーサズ・ビンヤード島、ケープコッド、ハンプトンを越えてやってくる。こうしたいい子どもたちは、安い宿泊施設で共同生活することをいとわず、お金を稼いで貯金して、レイバー・デイ（労働者の日）の前になれば、太陽がほとんど出ないような国で子ども時代を過ごした者としては、真っ黒に日焼けして家に帰っていく。

では、後に残るのは誰だろう？　一家の男性。いればの話だが。だが、もしその男性が一家に一人しかいない稼ぎ手で、朝の七時に車で職場にでかけるとしたら？　女性がいる。家族の予定を管理するだけでは満足しない女性で、時には主婦の役割を、文字通り変えてしまうような女性——家を作りあげ（そして、管理する）人。家のなかも、外も。

道具ベルトをしめた女王様は、隙間に詰め物をしてきっちり閉まるようにし、風呂のタイルを貼りなおし、風呂場の換気扇や電気を取り替え、車庫のドア開閉機をいじって動くようにし、レール式可動照明を取り付け、折り戸やあつらえの棚、天窓を取り付ける。ペンキブラシを持った姿も見たことがあるはずだ……。

もし、こうした女性が今、四〇代なら、彼女のこの能力は単に世代的な非常事態によって培われたものかもしれない。離婚したのかもしれないし、シングルマザーの下で育ったのかもしれないから。もしかしたら、何でも分解して、どう機能するのかを調べることに興味があるのかも。一九七〇年代や八〇年代に一〇代だった女性の多くは、高校で劇の演出に関わり、積極的に舞台裏の役割を引き受けた結果、こうした仕事に向いていることに気がついたのだ。それは満足できる仕事であり、自尊心につながり、絵画や照明、デザインの短期集中コースを受けることにも結びついた。加えて、この時代の母親たちは娘たちに、男の子にできることは女の子にもできるといい続けていた。だから、ある意味、女性の若い世代をそれと気づかないうちに自給自足に目を向けさせ、後押しさえしたのである。

それが功を奏していないとしたら、それに成功したのは大学卒業のおかげである。女性たちは就職市場に参入するに従って、多くの女性が一人で生きるか、女性のルームメートとアパートをシェアするようになった。自分の生活に男がいるとしても、こうした女性たちは無力な女性の役目を演じようとはしなかった。彼女たちはたいてい、限られた予算でまかなっていたから。従って、選択肢は一つ。自分で何とかするしかない。天井のライトが切れた？　サイズを測って、取り替えなくちゃ。ペンキがはがれた？　壁に下塗りして、塗りなおさないと。台所の蛇口から水がもれて、直せない？　座金《ざがね》を換えればいい。あるいは、最低七五ドルの大金を払って、故障したものなら何でも直してくれる見知らぬ男に頼むこともできた。つまり、当然、手のあいている男を誰かしら見つけることはできるし、なおかつ、道具箱を持ったよく知らない男を女性ばかりの家の玄関に入れることにも不安はなかったということだ。

リフォームの名人と言ってもいい四八歳になる女性の友人がいる。彼女は「ピンときた」瞬間について私に話してくれたことがある。それは彼女が一〇代半ばで、母親と姉と一緒に住んでいたときのことだった。ある月、彼女は洗ったばかりの服がなかなか乾かず、鼻を突くようなにおいが地下から上がってくることに気がついた。モノを分解して、その仕組みを調べるのが好きだったので、乾燥機をのぞき「糸くずフィルター」と呼ばれているものに行き当たった。それが熱くなりすぎて、綿毛とねばつくものがこびりつき、そのためにプラスチックが燃えたのだ。

「はっきり覚えているわ。だって、とにかく大きくて、わけのわからない機械を手で一発ぶったたいて直しちゃったんだもの。そのおかげで家が火事になることはなかったし、みんな助かったんだと思う。修理を呼ばなくてもすんだしね。小さな白黒テレビもない生活のことを話すつもりはなかったんだけど、プラグを交換するために、母が修理店にそのテレビを持っていったのね。私がテレビを見すぎるって言うんで、姉が切っちゃったわけ。一週間、わめいたわよ。プラグの交換がどれくらい簡単なことか、知ってる？」

今日、インターネットでは数百万というウェブページで家のリフォームを取りあげている——外部照明の備品の交換から、風呂場のダクト工事やシャワーの取り付け、屋根裏の断熱処理、キッチンキャビネットの表面の手入れなど、あらゆる修理だ。家の修理は誰もができることではない。こうした作業をおもしろくて、やりがいがあると思う女性でなければ、手を出さないだろう。向いている必要があるということだ。私の友人の場合、彼女はちょっと、まあその、倹約家だったし。多くの女性にとって、家事には、子どもの健康を維持して、着替えさせて、日曜においしいものを食べて、さまざまな予定をうまく調整するよりもはるかに広範囲にわたる特徴がある。それには、家計を節約するという責任もある。ほとんどの主婦にとって、道具ベルトをしめた女王は、単なる業務内容の一つでしかない。家をきれいに整えるだけが家事ではない。ひびやはがれを処理し（予算を使って）、見た目をきれいに美しく保つこともその一つなのだ。

過去数十年間、アメリカ人女性は、「できるわよ、できないはずないでしょ？」とのたまうジュリア・チャイルドからマーサ・スチュワートといったスーパーウーマンなどの後ろめたさを感じさせるような人びとを見せつけられてきた。ケーブルテレビで数え切れないほど放送されているDIY番組は言うまでもない（その一つ、HGTVは毎週あるいは毎月、七七ほどのさまざまなリフォーム番組を放送している）。一八六〇年代に登場したデパートのように、こうした番組は、典型的な中流階級に選りすぐりの商品やサービスを紹介して購買欲を刺激した。テレビ番組は人をひきつけるし、話もうまいから、そうした番組を見たある世代の女性たちは、自分でもできるような家のリフォームを見せつけられてきたわけだ。やる気があればの話だが。デパートと違うのは、これがモノではなく作業だということだ。

テレビ番組に時間を使いたくなければ、昨今の女性はウェブサイトにアクセスする。例えば、ビー・ジェーンという日曜大工をこなす女性をターゲットにしたサイトがある。結局のところ、女性は、家のリフォームに年間で五〇〇億ドルほど使っている。ビー・ジェーンの狙いは、歴史的に男性が牛耳ってきたリフォーム・マーケットにおいて、住宅環境を整える主導権を女性に取り戻させることにある。そうすれば、女性はそうしたリフォームを自分でやってしまえるではないか。グレーの服を着て、立て続けにタバコを吸い、時折気もそぞろになるような大工や建築業者の特別部隊を呼ばなくてもすむのだ。こうしたDIYの流行は、手作りせっけんだろうが編み物やキルトだろうが、そうした手芸時代の再興と時を同じくしている。フォトアルバムやスクラップブックの作成――家族の生活や時間に責任を負い、カタログを作るという、従来、女性の役目とされてきたこと――は、再び流行りつつある。

女性がホームセンターに求めるもの

大型ホームセンターは一時期、器用な女性をターゲットにしようとしたが、人気をなくしてしまった。もともとのターゲットはプロの建築業者だったわけで、層を広げようとしたホームセンターのもくろみは成功と失敗が半々というところだ。業者以外にも門戸を広げた結果、本来の顧客基盤をかなり失ってしまった店もあるくらいだ。

　ロウズ（大型ホームセンターの会社）でおもしろい経験をしたことがある。一〇人ほどのマネージャーが標準的な店舗を案内してくれたのだが、そのなかで女性はたった一人だった。「女性用トイレを見せていただきたいのですが」と私。誰もいなくなったのを確認して、なかに入ってみた。トイレは清潔で、白を基調とし、ジェーンにあるようなシンプルな作りだった。壁に近寄り、たたいてみた。「この向こうはどうなっているんです?」と、一人に聞く。「トイレ商品を置いてます」と言う。「ふーん、なぜここに置かないんですか?」。これが成功のヒントだと思う。コーラーやその他二社ほどのトイレ設備や備品の設計会社に、便器や洗面台を設置させればよいではないか?　もし、かなりの数の女性がこのトイレを使うのなら、それは口コミにつなげる絶好のチャンスではないか?　実際の商品が毎日の生活でどういう感じにおさまるのか、女性消費者が確認できるではないか。広大なアメリカ全土にある新しいホテルやレストランを思い浮かべれば、きれいなトイレが設計に関する意思表示であり、それが口コミになることはおわかりだろう。疑うなら、マイアミ・サウスビーチにあるデラノ・ホテルの女性トイレをのぞいてみるといい。この世のものとは思えないほどすばらしいから。

　さて、道具ベルトをしめた友人の話に戻ろう。彼女が唯一手を出さずにプロに任せるのは、かなりの力仕事になる場合――梯子《はしご》だ何だという場合――と、必要になる道具の購入費用が実際の作業費を大幅に超える場合だ（三〇分の作業のために二五センチの電気丸ノコを買いたいと思う女性——男性でもいいが——がいるだろうか？）。

芸術的な満足感

道具ベルトをしめた女王を駆りたてる他の要因は、新たな視点が登場したことだ。アートプロジェクトとしての住まいである。女性いわく、男が家にペンキを塗るのは、その必要があるときだが、女性がペンキを塗るのは、その色に飽きたときだ。道具ベルトをしめたジェーンが行うのは、実際の仕事との関わり以上に、工芸と深く結びついている。道具ベルトをしめた男は、騒々しくミニチュア・ログハウスのリンカーンログをがちゃがちゃさせていた子どものころから組み立てることがすべてだったが、ジェーンの場合、その取り組みに一種の芸術的な満足感を伴うことが多い。

私にとって、もっとも興味深い「そうか！」という瞬間の一つは、男性が女性に動力工具を使わせていることに気がついたときだった。私の父はいつも何かを——家具やソファ、私が使っていたベッドまで——作っていたが、私が父の娯楽室に入ることは許されなかった。もう何年も、父が家具をガンガン叩く音を耳にしてきた。ほこりをもうもうと立てながら。家族の話題のタネとなっていたのは、父、フランシスが、木工が得意であるというより、のめりこんでいたということだ。

家族に影響を及ぼした瞬間は、父が、そうした大工仕事をもうやめると宣言したときだった。その直後、母は木工クラスに通い始め、その数カ月後には、シェーカー教徒の木製シンクを作った。これは現在、我が家の一階のゲストルームにある。父が母を認めたのかどうかは、わからない。母が娯楽室に入り込んで、とても美しいものを作り上げた一方で、父は休みの間、理由はどうあれ、決して世に出ることのなかったキャビネット作りにいそしんでいたのだ。娯楽室が、すねてこもるための部屋となったのも不思議ではない。

修理を忘れた男たち

父親たちといえば、道具ベルトをしめた女王の登場という新たな環境で、男どもにふさわしい立ち位置は？　たいてい、男たちは憤慨するより、感謝してほっとしているのだ。どういうわけだか、多くの男はこの類の修理を教わらなくなってしまった。父親から学ばなかったのかもしれない。子どもにタイルの貼り方を教えた家族であっても、現在の流動的な社会では、お互いに離れて暮らしているし、何でも屋の叔父さんにその場で電話して頼める状況ではなくなったから。

ちなみに、私の道具ベルトの女王は、世界を股にかけるビジネスマンと結婚した。家のリフォームに関しては、まったく望みのない男性だ。だが、彼はそれを恥じていない――ただ得意じゃないというだけのことだから。壁板をどうしたらいいか、詰まったトイレをどう修理するのかは知らなくても、彼の男らしさがどこにあっても、それが損なわれることにはならない。彼は、妻のすばらしい才能を尊敬している。それに、時間単位でチャージし、出張も多いコンサルタントとして、彼は、妻の努力のおかげで家計費を節約していることにも感謝している。人生のこの時点でかなりの時給を稼ぐ男が、同じだけの時間をかけて、普通のネジまわしとプラスのネジまわしの違いを理解するなんてことは経済的に無意味だ。彼は、修理という一家の男子の役割を、もっと有能な妻に任せることができて、幸せこの上ないのである。

ある友人の一〇歳の娘はとても賢い。この子の母親は、娘に技術を身につけるコツを教えている。娘が興味を示すときもあるし、まったく無関心のときもある。だが、母親が望むのは——「私だけなのかもしれないけど」——と言いながら、こう付け加えるのだ。「娘には無力な女性になってほしくないの」

7

ホテルに求められるもの

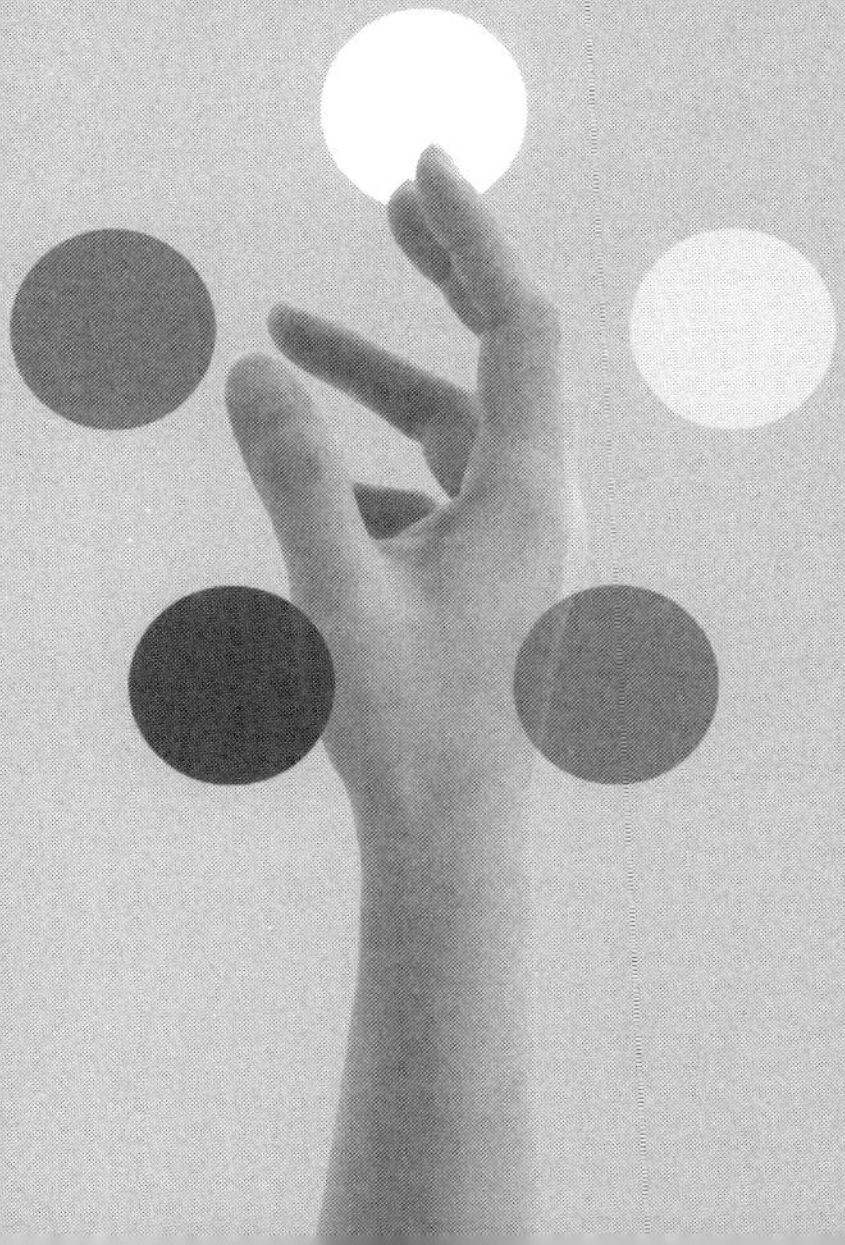

女性がホテルに求めるもの

こんばんは。アンダーヒル様。チェックインですか？　ありがとうございます。お支払いはどのようになさいますか、アンダーヒル様。承知いたしました。それから、アンダーヒル様、当ホテルのレストラン、ラフターズをぜひご利用ください。ポリネシアン・フュージョン料理をご提供しております。一二種スパイスのダック、コケモモとカラメルの砂丘仕立てが自慢の一品でございます……

わかった。想像がついたよ。

私自身はホテルのロビーで大声で名前を呼ばれても気にしないが、時差ぼけで到着した女性だとしたら、と考えてほしい。疲れきって、のども渇いて、それまでの数時間は、着いたらパリッとした白いシーツが待っているから、と想像していたはずだ。その瞬間は、ややこしいことや注意事項を言われずにチェックインしたいだけだ。丁寧で十分な対応さえしてもらえればいい。

考えてみてほしい。この女性、その意味ではすべての女性が、善意であっても、何も考えていないようなホテルの従業員に、二度も三度も名前を呼ばれたいと思うだろうか？　ロビーにいる全員、『X－メン』を読んでいるひ弱そうな男にまで、彼女が一人で旅行していることを知られたいと思うだろうか？

ホテルに滞在して男性が何を望み、女性が何を求めるのかということには、日ごろの生活で何を気にしているかが反映される。男性は普段の生活をし、食事をし、眠る場所の向こうの隅が少し汚れていたり、ちらかっていても気にしないだろうが、ほとんどの女性はそれを気にする。男はバスルームの電気や鏡が少し汚れていても、トイレの上のバスケットにどんなアメニティが入っていようが、隣の宿泊客やカップルとの間には一つしか鍵がついていない両開きのドアしかなかろうが気にしないかもしれないが、ほとんどの女性は気にするのである。ホテルのバスルームにあるドライヤーについて男が気づくのは、航空学を応用してドライヤーを壁に取り付けたといったことで、平均的な女性客が目を向けるのは、型番や電圧、コードがどこまで延びるかといったことである。その一方で、部屋の清潔さ、照明、室温、色（あるいは色味がないのかも）、床、広さ、形、枕の硬さ、感情的に、肉体的に、心理的に安心していられるかどうか、くつろげるかどうかをチェックする。これを無意識のうちにこなすのである。リモコンに親指のあとがついていたり、バスルームのシンクに髪の毛が一本でも落ちていようものなら、フロントは苦情を受けることになるだろう。

女性はこうしたことに気がつくのだ。多くのホテル、少なくとも高級ホテルであれば、女性の影響力を意識し、対策を講じている。

ホテルはいかに生まれたか？

父方の祖父は、ニューヨーク郊外で乳製品の卸をしていた。遠くはモンタナまで出かけ、バターや卵、牛乳を仕入れては持ち帰ってきた。オランダ人をジョークにするのが好きだったが、やさしくて良心的な人だったから、オランダ人がネタの対象として一番安全で問題にならないと思っていたからに違いない。ジョークのほとんどは、ホテルに入り込んだオランダ人についてだった。例えば、「その結果、このオランダ人はカンサス・シティのホテルに入り込んで……」。続きは印刷禁止だ。

要は、出張は歴史的に孤独な男性の専売特許だったということだ。少なくとも一九六〇年代までは、夫か男性を伴わず町から町へとわたり歩いていた働く女性は一般的に、あやしい職業についていると思われていた。

有史以来、人間はさまよい、自分の寝床以外の休息場所を求めてきた。古代のギリシアには行楽地や鉱泉、温泉があった。イギリスには宿屋があり、中東には隊商宿もキャラバンサライもあった。中世には、男子修道院や大修道院が旅人に避難所を提供した。救護所のなかには、馬に乗って、あるいは歩いて聖地をめざす十字軍兵士や巡礼者に避難場所を提供してきた所もある。

にもかかわらず、世界で最も人が移動し、落ち着きのない国であるアメリカで世界で最初のホテルが誕生したのは、何かの偶然だろうか？　一八世紀、一九世紀、二〇世紀に急速に都市化したのは、アメリカ人が好きなように全国を移動できたことと、夜に休息を取る場所がどこかしらにあったからだ。アメリカのホテルの始まりはパブだ。安酒を売るおんぼろ酒場で、旅人を泊めることもあった。たいていはジンで酔っ払ったよそ者や、一、二匹のナンキンムシと相部屋を余儀なくされたが。こうしたパブは、一八〇〇年代初めに倍増した。海上貿易や大西洋横断輸送が増え、商人や乗組員が疲れた身体を休める場所が必要になったからだ。

初期のホテルは個人の家庭で、起業家精神にあふれた、大抵は小金を稼ごうとした未亡人が一般の人も受け入れるようにしたものだった。裕福でない家庭は、他人に屋根裏部屋や地下を貸し出した。中流階級は下宿人などを引き受けるか、他人の住居に引っ越した。ホテルは、一家族用の住居から賄いつきの下宿、集合住宅へと発展し、一九世紀中ごろまでには相当数のアメリカ人を宿泊させるようになった。ある試算によれば、一九世紀半ばには中流から上流階級のニューヨーカーの約四分の三が、ホテルあるいは賄いつき下宿に住んでいたという。

鉄道の発展とともに本格的なホテルの建設が始まり、その利用客の増加に伴いアメリカ人女性の解放も進んでいった。この時期、実用的な労働の分担は単純だった。男性はたいていの場合、家から離れた工場や農場で働いた。女性は家にいて料理や掃除、縫い物、洗濯、乾燥、子どもの世話をし、時計をにらみながら夫が帰ってくるのを待ったのだ。家にこもっていた女性たちに、初期のホテルが大きな解放感をもたらしたことを想像してほしい。そのころまでには、高賃金の工場労働が増え、使用人階級はほぼなくなっていた。ホテルお抱えの料理人や厨房係、客室係、現場に待機する洗濯婦が誕生し、ホテルは、ジェンダーに偏ったそれまでの労働を一変させた。多くの「進歩的な」家族は子どもたちをそうした革新的な新しい環境で育てることにし、家庭の主婦は毎日繰り返す単調な仕事から解放されたのだ。女性は子どもを育て、しつける時間を持てるようになった。

当時、批判的だった人びとは、こうしたお膳立ては女性と社会全体に対して、恒久的な悪影響を及ぼすと非難した。なかにはホテルが伝統的な家庭生活を台無しにし、女性は昔ながらの妻としての義務を免れ、怠け者になってしまうとがめた者もいた。フェミニストは、女性は何世紀も従属させられ、ジェンダーの不平等性は家庭生活に根づいたものだと反論した。結局、赤ん坊や汚れた洗濯物の片付けで手一杯になってしまい、女性が自分たちの知性を深めることなど、できるはずがないだろう?

こんなホテルはお断り

私がホテルに関心を持っているのは、単に歴史やサンプリングのためではない。年の半分近くを出張する身としては、ホテルは私の人生において重要な役割を果たしているからだ。これまでの二〇年間、私は大小さまざまなホテルに滞在した。豪華なところもあれば、そうではないところも、最低限の防犯しかない、単に仕切られただけのような道路脇の建物もあった。エンバイロセルが立ち上がったばかりで、この事業が続くのかどうかもわからなかったころは、ハンドルやワイパー、自動変速機、マフラー、触媒コンバーターが備えつけられたモーテルに泊まったこともあった。夜は運転席をリクライニングにして眠ったものだ（そう、それは私の車だ。ひげそりや歯磨き、着替えなどは、近くのガソリンスタンドのトイレを利用した）。

真剣に、ホテルが必要だと思うようになったのは、ニューヨークオフィスのスタッフの大半が女性で、とりわけ、評判のよくない都市や国で仕事をする場合に彼女たちが気持ちよく、安心して過ごせるかどうかが気になったからだ。だが、それだけではない。わが社全体の義務として、ロビー以外の入口から直接部屋にたどり着けるようなホテルには、男性でも女性でも泊まらせないことにしていたからだ。モーテルの周りを歩いてみたことがあるなら、どういうことかお分かりだろう――不気味な音を立てる製氷機の隣にあるドアが薄暗い駐車場に直結しているなんて、お断りだ。

まさしく、そんなモーテルの裏口が関係した腹立たしい経験をした（そうした経験は何回かあるのだが、これはしゃくに障った）。ノースカロライナ州ヘンダーソンヴィルにあるコンフォート・インに泊まったときのことだ。このホテルチェーンは、「一〇〇％ご満足いただけることをお約束します。ご不満であれば宿泊無料」とはっきり謳っている。一日目の晩、駐車場につながる外のドアが壊れて、鍵が閉まらないことに気がついた。閉めようとしても無駄だった。ホームレスや、うろついている輩、あるいはそれにとどまらない悪漢が駐車場からこっそり入り込み、二階に上がってきて、善良な旅行者を銃で脅して強奪したり、暴力を振るったりすることもありえた。

そこには三泊した。チェックアウトの前に、マネージャーにドアが壊れていたと言ってやった。「鍵がかからなかった」と言ったのだ。「出張中のビジネスマンにとって、セキュリティは大事なんだ。おたくは、スローガンを守っていないじゃないか」私は料金を支払わないつもりはなかった。だが、コンフォート・インが約束している一〇〇％の顧客満足はどうなる？　マネージャーは露骨にうせろと言い、気に入らなかったのなら、最初の一泊だけでホテルを変えりゃよかったじゃないかと言い放った。事態を収拾するために、ホテル側は最後の日の朝食をサービスすると言ってきた。コーヒー色をしたお湯を発泡スチロールのカップに入れたものと、ネス湖の湖面を跳ねていって向こう岸に届くくらい固いベーグルの朝食。

コンフォート・インにはそれっきり泊まっていない。

今日、ホテル業界の格付けははっきりと分けられ、上に行くほど高級化するピラミッドとなっている。手ごろなモーテルとしてはモーテル6がある。一方、コンフォート・インは格安クラスにしっかり組み込まれている。その上のエントリーレベルのラグジュアリーは、ヒルトン・ガーデン・インやマリオット・コートヤード。その一つ上には、標準的なビジネスホテルとして、マリオットやハイアットがあり、続いてセントレジスやクラウンプラザなどのいわゆる代表的なビジネスホテルがくる。トップは、高級あるいは最高級クラスだ。「旅の恥はかき捨て」と思い込んでいるような向こう見ずなギャンブラーにとっては、ぎらぎらした派手すぎるカジノホテルを指す。ディズニー・クルーズラインのような家族向きのリゾートには目を向けないことにしよう——子どもの関心をあえてひこうとする、騒々しくて、陽気な場所でしかないのだから。

カプセルホテルとラブホテル

どの国にも、その国なりのホテルがある。日本は人口密度がアメリカのおよそ一〇倍もあり、カプセルホテルとして知られるものがある。泊まったことはないが。背が高すぎるから。だが、勤勉なサラリーマンで辺鄙なところから東京都心まで通勤する人を想定してみよう。今日も長い一日だった。ずいぶん遅くなってしまったし、長時間電車に揺られて家に帰るのはいやだな。そんなときに助けになるのは、カプセルホテルだ。一泊、大体三五ドル（約三〇〇〇円）くらいで、狭い寝場所に身体を滑り込ませるようになっている。このカプセルには横から入るのではない。真ん中から入って座り込むわけでも、いつものようにベッドに倒れこむわけでもない。一方の端から入り込んで、もぞもぞしながら奥に進んでいく。カプセルホテルの空間は個室で清潔だし、無駄なものは一切ない。だが、閉所恐怖症やパニック発作を起こす傾向があるなら、考えることすら無理だろう。それでも、疲れた身体に必要なものはすべて揃っている。小さなテレビは天井にすえつけられているし、目覚まし時計もある。小さな鏡と通風ノズルもついている。飛行機の座席の真上にあるようなやつだ。二層に分けられているホテルもある。一つのビルに一〇〇〇部屋くらいあるかもしれない。あるフロアは男性用で、別のフロアは女性用だ。

もう一つのコンセプトは、アメリカでは流行っていないし、おそらく流行ることもないだろうが、ラブホテルだ。南米は全般的に、成人した子どもとその配偶者が両親と同居することが多いから、ラブホテル、別名〝テロス〟は、単なるわがままではなく必然性がある。ラテン系の男性あるいは女性が、いい雰囲気になっているとしよう。隣にいる相手に手を伸ばしていちゃつき始めるだろうが、隣の部屋ではママがシチューを作り、パパがテレビでサッカーを見ているとしたら、自由奔放にふるまえるわけがない。こうした環境で生活する人にとって、ラブホテルは二人で数時間は転がりまわれる場所だし、セックスの自由をある程度満喫することもできる。両親と一緒に住む場所ではばつが悪いだろう。

とにかく、ある段階でホテルは、私たちの多くが受けるもてなしを家庭的なものに変えた。我が家の地下にあるゲストルームには、クイーンサイズの収納式ベッドが置いてある。誰かを泊めるときは、新しいタオルと洗面用タオルをセッティングしておく。バスルームには、旅先から持ち帰ってきた数え切れないほどの小物がいっぱい。ボディシャンプーからミニボトルのコンディショナー、シェービングクリームまで。テレビも目覚まし時計も、アイマスクも、寝ながら読書するには十分すぎるほどの棚も三本。もしノートパソコンを持ってきて、Ｗｉ－Ｆｉでネットサーフィンしたいなら私のパスワードを教えよう。地下にあるが、うちのゲストルームは静かだし、カーペットを敷いて居心地のいい部屋になっている。たいていのゲストが期待するものはすべて揃っている。ゲストの満足は、この部屋がスタンダードホテルを模しているという事実と大いに関係がある。

フロントです。チェックインなさいますか？

ロビーでの男女の行動のちがい

二〇一〇年までに、世界中のどの大手ホテルチェーンも女性の一人客を念頭において、ホテルとサービスを演出し直した。最近の改装としては、弓なりにかかるシャワーカーテンやバスタブの上に張った物干しロープ、照明付きクローゼット、クローゼットの再設計——シャツ用からスカート用までさまざまなハンガーを用意すること、ハンガーをポールからはずせるようにすることと――などがある。ハンガーをポールからはずせるようにしたのは、壁に打ち付けていないものは何であれ盗まれるというのはホテルが客を信頼していない表れだと、男女を問わず当の客に思われたくないからだ。それから、昨今よくあるような枕に対する執着も、改装に取り入れた。

　しかし、ホテルでの経験とは、回転ドアをくぐり、ロビーに足を踏み入れた瞬間から始まるのである。

　数年前、われわれはスターウッド・グループのリサーチを行った。シェラトンの一つがロビーを大幅に改装する前と後を調査したのだ。驚くことではないが、ロビーで過ごす客の大半が男性であることがわかった――エンバイロセルでは、これを「滞留時間」と呼んでいる。また、男性は二人ではなく、一人でやってくることが多い。気分転換のつもりかもしれないし、人間観察のつもりかもしれない。あるいは、単に足を伸ばしたかったとか、敷地内を散策したかったのかもしれない。ロビーで一人でいる男性は通常、席に座り、無料のＷｉ-Ｆｉを楽しむか、ブラックベリーやｉＰｈｏｎｅで時間をつぶすか、ノートパソコンでエクセルを使っている。さもなければ、訪ねてくる人を迎えるためだ。実際、ほとんどの場合はそれだ。例外はあるが、女性の場合、ホテルのロビーはチェックインとチェックアウトという目的があって利用する場所だと思っている。

　余暇の時間が仕事にまで進出しているため、今やロビーのほとんどにはビジネスセンターがある。これは、どちらのジェンダーの興味もそそる。通常は、ファックス二台やイーサネットケーブル数本、レーザジェットプリンター数台、それからノートパソコン充電用のコンセントがたくさんある。ほら、男女間のコミュニケーションのとり方は異なっているが、部分的に同じところもある。例えば、携帯電話。どこにでもあるからか、携帯電話を持つようになってから二〇年も経っていないことをつい忘れてしまうのだが。男性が携帯電話をよく使う場所とはどこか？　ホテルのロビーを含めて、どこにいようとも、だ。もし本社のスコットやジェイへの連絡を耳にしたくなければ、耳栓をするしかない。女性という種はもう少し礼儀正しいので、ロビーの隅に行って、そこで会話する。

到着するゲストのために、昨今のほとんどのカウンターにはちょっとした大理石の棚がついている。レセプションカウンターの一〇センチから二〇センチくらい低いところで、女性客がハンドバッグやブリーフケースを置くようになっている。すでに書いたが、最近のホテルのスタッフは、客の名前やルームナンバーを大声で言わないように指導されている。その代わり、カウンターの裏から一歩踏み込み、キーか名前を記入していないデジタルのカードをチェックインするお客の手に押し付ける。ルームナンバーは、キーやカードを挟む紙ナプキンを折りたたんだようなものに書いてある。私に言わせれば、これは配慮したやり方だし、必須だと思う。

すべて女性のおかげだ。

それでも、なぜ世界中のホテルは、チェックインを人間味あふれるものにしないのだろうかと思わずにはいられない。その方が男性も女性も大喜びするだろうに。出張の頻度が高い人間としては、すでに支払いをすませた部屋にチェックインするために並ばされることほど、いらつくことはない。カウンターにいる従業員がデスクから離れて、客のクレジットカードを預かり、持ち運びできる小型の機械でチェックインさせることは道理に適っているのではないか？　ヨーロッパのレストランやコーヒーショップでは、すでにそうしているではないか。安全だし、配慮したやり方だし、スピーディだ。お客も不安にならない。レストランの不誠実な従業員がビザやアメリカン・エクスプレスをひったくって、仲間のために何回も読取機に通しているんじゃないだろうかという不安は解消されるのだ。

では、お部屋にご案内します。

世界中の豪華ホテルを泊まり歩く女性重役の意見

パム・ディロンという友人がいる。この友人は、出張も多いが、プライベートな旅行も多い。パムは、大成功した――ゴールドマン・サックスやJ・P・モルガンで業績を上げ、その後会社を立ち上げた――女性重役で、世界中の豪華ホテルに泊まるという経験をもう何年も重ねている。月に二週間は出張していた時期もあったくらいだ。彼女は、一つのホテルに執着するのではなく、できるだけたくさんのホテルを試したいと思っている。最近、出張に出るのは年に一、二カ月くらいになった。男性がゴルフコースのことばかり考えているのと同様に、ホテルのことばかり考えている女性として、ここで彼女の意見を聞いておきたい。

「では、パム。ホテルのポーターについてどう思う？　普通は男性だよね――きみの荷物を預かるわけだけど。ここで言うのは、個人的に大事な荷物だよ」

大抵の男にとって、ポーターはどうでもいいようなことだ。だから、選択肢はシンプルだ。荷物を運んでもらえればいい。でなければ、自分で運ぶ。女性にとっては、事態はもっと複雑だ。

「好きじゃないのよね。荷物が大丈夫って安心できれば、ありがたいサービスだと思うけど」と即答して、にっこり。

それでも、ポーターが女性だったらもっと気楽だけど、と白状した。パムにとって、ベッドルームで男性と一緒にいて、テレビの使い方などの説明を受けるのはごめんなのだ――しかも、まったく知らない男となんて――。たとえ、ドアが大きく開いていたとしても。彼女にしてみれば、ヘンな男が女子ロッカーに侵入したようなものだ。「これはね、性的なことじゃないの。もっと根源的なこと。安全。ルームサービスも同じよ」と、言葉を継いだ。

同感。ポーターをしてくれたり、ルームサービスを運んでくれる女性の登場が待ちどおしい。気まぐれでも、性を歪曲した考えでもない。ホテルを利用する無数の女性たちを安心させるアイデアだ。女性が文化全体に影響を及ぼしているおかげで、私は清潔さを意識するようになったと思う。特に、旅行中。たぶん、ポーターの手は、ホテルのなかで一番不潔なものの一つだ。だが、

「仕事の合間に手を消毒してる？」なんて聞くことも、医療用の手袋を差し出すわけにもいかない。それでも、私は、豚インフルエンザやＳＡＲＳが流行した時分に、見知らぬ男にバッグを預けたくはない。

さらに、チップが欲しいから、男性ポーターの多くは強引であつかましいほどに客の荷物を預かろうとする。銃を突きつけられて、往生しているようなものだ。女性の一人旅なら、とても個人的な私物を渡すよう脅迫されているように感じるだろう。これまで見てきたように、女性は女性をより信頼する。したがって、女性のポーターは、女性が荷物や衣服を預ける際に感じていた不安を緩和することに、大きな役割を果たすはずだ。

荷物といえば、女性という種のおかげで、キャスター付きスーツケースが登場した。キャスター付きスーツケースを持ち、二五キロもある荷物を引っ張って旅行する女性の数は増える一方だ。本人が望めば、女性は靴を何足でも持っていけるし、最後尾についている小さな車掌室のように荷物を運ぶことだってできる。女性やある一定の年齢以上の人にとって、タイヤのおかげで、生活も厄介な移動も可能になった。そして、多くの場合、会ったこともない若い男に荷物を預ける必要もなくなった。その男がポーターの制服を着て、どれほど素敵に見えたとしても、それは関係ない。

部屋のFF&E

プラスチック製のデジタルカードキーを差し込む。緑の電気が点滅して、中に入る。やるべきことから手をつけようか。すばらしいベッドには、どうしたって目が向いてしまう。退位させられた王女にぴったりのベッド。あるいは、少なくとも、自分を王女だと思っている、疲れた足を引きずる女性にふさわしいベッドだ。一九九九年、ウェスティン・ホテル・チェーンは、ヘブンリーベッドを売り出し、商標登録もした。天使の翼のように白く、ふっくらした羽毛布団をかけた、そのシーツは驚くくらい細かな織り目で仕上げてある（それがなんであれ）。枕も一級品で、一人客の分だけでなく、のんびりしたい家族に必要な数よりたくさん置いてある。

やっと、多くのホテルが枕の重要性に気がついたようだ——女性客の枕のニーズを満たしたならば、その女性が生涯の顧客となる可能性は高い。定期的に旅行する人にとって、いい枕というものは、ぐっすりした眠りにするか、浅い眠りにするかの大きな差をつけるものだから。すべての条件が同じであって、強みを得たい、ファンになってもらいたいというのであれば、まさにこれというぴったりの枕（やらわかさ、硬さ、あるいはその中間）があることを客がわかれば、そのホテルにもう一度泊まろうと思う特徴になるはずだ。

女優のエリザベス・テーラーは、旅行の際、ワンフロアを借り切っていた。中東の石油王のほとんどもそうだ。確かに金はかかる。だが、追っかけメディアに対抗する方法としては、これ以上の手立てはない。加えて清潔さの問題もある。中華民国政府総統だった蔣介石の夫人が夫とともにルーズベルト大統領のブレア・ハウスに泊まったとき、リネン類を持ち込んだのはそれが理由だ。明らかに、エレノア・ルーズベルトは相当イラついたが。

考えてみよう。パムがホテルの部屋で最初に気がつくのは、ＦＦ＆Ｅ——業界用語でいうところの家具、什器、備品のことだ——が、二年ないし三年以上前から使っているものかどうかということだ。いいホテルはシーツや枕カバーといったやわらかいものを、あまりよくないホテルよりも頻繁に交換する。これは、少なくとも、新しいＦＦ＆Ｅと同じくらいに重要なことではないだろうか？

清潔さを保つこと。

「部屋はね、豪華じゃなくてもいいのよ」と、パムは言った。「でも、清潔さを感じさせなくちゃダメなの。いいにおいがして、きれいでないとね。頭では、誰かがその部屋に泊まっていたことはよくわかってる——でも、それを感じたくはない。残り香があるのもいや。その痕跡があるのはいやなのよ」

そりゃそうだ。

室温調節、アースカラー

清潔さの他に女性にとって重要なのは、先にも書いたが、空気がきれいかどうか、室温を調整できるかどうかだ。生理的にどうかではなく――女性は一般的に、男性よりも温度の変化を受けやすい。あるいは、おそらく男性であろうホテルチェーンのトップが、基準となる室温を決めているという恨みを無意識のうちに持っているとしても――女性が気づいてしまうことなのだ。調整できないとなると、女性はイライラし始め、息苦しくなり、そう、押さえつけられているように感じる。たとえ、管理者側が適正に調節していたとしても、女性客側が室温の調整はしないことに決めているとしても、一度上げたり下げたりできればありがたいと思うはず――いや、かなり強く主張するはずだ。

「それと、部屋にしろ何にしろ、自分で調整できるのなら、簡単であってほしいのよ。技術の授業を受けたいわけじゃないし、ただ、きちんと機能してほしいだけ。余計な装備はいらないから、宿泊客に調整させてほしいの！　リモートコントロールってそういうことでしょ――操作よね。それから、狭さを感じるのはいや。これからのホテルは、外の世界を持ち込むことが求められるわ。外の自然と屋内が交わって、一体のものとしてできあがる。それでも私は安全だと感じるのよ」

部屋のなかには、最新型で使い勝手のいい薄型テレビがある。ドレッサーを片付けたおかげで部屋の風通しがよくなり、ビデオ・ＤＶＤプレーヤーが接続されたゼニス製二九インチのカラーテレビが置いてあった時代より、はるかに広さを感じられるようになった。バーカラウンジャー社の茶色の椅子の代わりに、倒れこんでもよさそうなカウチがベッドの向こうにおいてある。壁の模様は、昔のホテルによくあったような風車やサイロ、メイン州の海岸風景より、はるかに鮮やかで装飾的なものだ。最近よく見るのは、壁を飾るマチスやミロ、マグリットのポスターだ。ホテルが望むゲストの教養や教育レベルがいかほどのものかが表れている。ミニバーでさえ、スコッチ・ソーダがぴったりの男性にあつらえるというよりは、聡明な女性に合わせているように見える。誤解しないでほしいのだが、聡明な女性とは、チョコレートなどのちょっとした人生の楽しみを満喫する人のことだ。しかも、多すぎず、健康的な量で十分という女性のこと。

アップステート・ニューヨークを拠点とし、主にはマンハッタンで過ごしていたころ、パムは最先端を行く数多くのホテルに宿泊するたびにダメだしをしていた。男性による目もくらむようなデザインで凝った場所ではあったが、女性旅行客のニーズを考慮したものではなく、人間一般のニーズを考えてすらいないホテルもあった。そう思わせたホテルの一つは、ユニオン・スクエアから少し離れたＷホテルだ。「あのホテルはね、デザイン重視だったの――人間重視じゃなくて」とパム。

「どういうこと？」

「つまり、Wホテルでも本当にいいところはたくさんあるの。でも、あらゆるものが角ばっているの。色も冷たい。アースカラーがないのよ。アースカラーも使っていると思っているのかもしれないけど、あんなにグレーが強かったら、もうアースカラーじゃないわ。どの部屋にも人間味がまったく感じられないの。そんなホテルに足を踏み入れて、わぁ、居心地いいなぁとは絶対言わないわ。なかに入って、冷たい感じがするって言うはず。ミニバーのドアを開けて、ウォッカでもあおるしかないという気になるから」

とてもすばらしいように見えるのだが、改修されたばかりのグラマシー・パーク・ホテルでよくなったのはごく一部だけよ、とパムは言う。「一泊目の夜はすごく素敵って思ったんだけど、次の日に会議に出かけるために準備をしていたら、まったくそう思わなかったの。バスルームの照明が暗すぎて、身支度するのが大変だったのよ。それに、すべての家具が私より三〇センチは背が高い人を想定していたし。オーナーには、部屋をこう見せたいという思いがあるのだろうけど——女性がその場にいたらどう感じるかというのは、まったく念頭になかったみたい」

最先端のデザインや市松模様の床、ロビーでブラッド・ピットとアンジェリーナ・ジョリーを見かけるチャンスなんてものは、パムや私の経験からすれば、ほとんどの女性がホテルにチェックインして期待することではない。女性が求めるのは、安全と清潔、静けさ、居心地のよさなのだ。実際、彼女たちが求めるのは自宅で感じるようなことなのだが、ホテルにはこれがない。

「『居心地』ってどういうこと?」と聞いてみた。

「アースカラー」と断言した。「モノの形にも関係するわね」

ホテルのベッドルームで、パムが望むのは丸みだ。曲線美。やわらかさ。次はバスルームをのぞいてみよう。

自然光、アメニティ、未来のホテル

女性にとってバスルームは、滞在を満足のいくものにもするし、台無しにもするものだ。ホテルのバスルームは、少なくとも家のバスルームよりは上質であってほしいスペースだ——それ以上を望みたいところだが。パムが上質なホテルのバスルームとして真っ先に挙げた点？　質がよくて、機能性が高くて、暖かな照明。「一流ホテルがどうして室内照明と自然光照明のスイッチをつけておかないのか理解できないわ。女性なら夢中になるのに」

「なんで？」

「ほとんどの女性は、自宅のバスルームでどうやって化粧をするか、失敗を繰り返しながら学ぶものだから。外が明るくても暗くても関係ないのよ。これはまさしく、女性の毎日の化粧の問題ね。男性は、女性が化粧や髪型、きちんとして見えるかどうか、外に出たときにどう見えるかといったことを考えなければいけないなんて、気がつかないでしょう。もし、自然光では化粧映えしないんじゃないかということを気にしないですむのなら、暗い照明の方がずっとほっとするわよね」

ホテルで行ったリサーチのために検討したデータから、私にとって明らかだったのは、この点だ。女性旅行客が一番重要だと思うのは、そのホテルがどのようなアメニティを置いているかということ。無料のシャワーキャップとA－plusのコンディショナーは、私や知り合いの男性にとって、重要だろうか？　私なら、気づきもしないと言うほかない。だが、こうしたアメニティは女性にとってかなり大事なことなのだ。ホテルはこの点で間違いなく進歩している。パムは、ホテルのせっけんの品質にまでこだわる——せっけんがわずかでも肌に残ろうものなら、機嫌が悪くなる。つまりは、その土地の水が硬水であろうと軟水であろうと、せっけんが水にあっていないということになるからだ。たまには自宅に持ち帰ることもあるというのは、彼女自身も認めるところだ。例えば、髪の調子がとてもよくなったシャンプーとか。

ヘアドライヤーはさておき、一呼吸置いて、確実に女性向きの新たな趣向に目を向けてみよう。弓なりにかかるシャワーカーテンだ。バスタブの一辺に沿って直線にかかるのではなく、カーテンはゆったりと外に向かってはらみ、なかにいる人からすれば、一五センチほどの空間と、その分の酸素という余裕ができる。その結果、シャワーがべたつくような感じが緩和されるし、閉所恐怖症の人や女性客はカーテンに触れずにすむ。従来のような、まっすぐにかかるカーテンだと、数え切れないほどの誰かがさわったとか、ともかく不潔なカーテンだと思ってしまう。だが身体に触れないことで、そうした不愉快な要素を回避するわけだ。大したことじゃないって？　女性にとっては、これは大した問題だ。カーテンが身体のすぐ横にあることに喜ぶ女性の知り合いないないからね。

「ホテルの環境配慮は、きみにとって重要なこと？」と、聞いてみる。「道徳にかなったLED電球をどう思う？」

「エネルギーについて考えるホテルはいいわよね。思慮の深い人がいるということはいいことだと思う」

「環境上の観点から、シーツや枕カバーを洗わないでもいいか、それとも毎日交換するのを希望するかどうかを確認するカードが枕に置いてあるけど、あれについてはどう思う？」

「あんなのは大抵、くだらないわ。ああしたカードを置くホテルの多くは、いろんなやり方でエネルギーを無駄にしているものだから」

「では、女性にやさしい未来のホテルの部屋とは、どういうものだと思う？　あるいは、どういう風に見えるのか、どういうサービスなのか。例えば、二〇五〇年のパム・ディロンDNAプラザ・パビリオンはどういうホテルになる？」

パムはちょっと考えている。「私好みにアレンジした部屋ね。私好みにするための情報をどうやって集めるかは別にして、何億人もの人が私より先にその部屋に泊まったという印象を持たせない部屋よ。ともかく――どうやって、なんてことは聞かないでちょうだい――私が到着するときには、パムの好みが揃っている――特別にあつらえた枕、やわらかいリネン、ふんわりしたタオル。ホテル経営者には私の好みを知っておいていただきたいわ。といっても、行きすぎてるようには感じたくない。だから、私の夢のホテルにするには、その方法を考えておく必要があるわね」

私は、パコの好みを知っている。スカンジナビア風のベッドで、一番上のカバーは内側にたくし込まれていないこと。背丈があって、足をちぢこめるのが嫌いな男に合わせるにはその方が都合がいいから。本を数冊置いておくこと。犯罪もののサスペンスと伝記をメインにして。私が好きなシングルモルトのスコッチウイスキー。それから、ドリームボートもいること。

女性専用コースとレストラン

最近、ニューヨーク州アルバニーにあるハンプトン・インが、「私のフロア」というコンセプトを発表したと耳にした――そのフロアは女性客だけを対象にし（寄宿生の学校のような雰囲気を少しかもし出して）、男性客は週末しか足を踏み入れることができない。アイデアとしては、女性旅行客にプライベートな空間で、安心してもらい、人目を気にせず、邪魔されることもなく、人付き合いをする機会を提供するというものだ。アメニティとしては、保湿剤、ハンドクリーム、ふわふわの靴下などが用意されている。接待用の特別室にはクッキー、珍しいコーヒー、高級茶葉、雑誌などがあり、特別な電子キーでないと入れない。これはちょっと変わったコンセプトだ。

テリー織りのバスローブが添えられたアファーマティブ・アクション（女性や黒人など従来不利な扱いを受けてきた人びとに対する差別を是正する措置）のような感じもする。どちらかといえば、これを好む女性は多いと思う。

サンフランシスコにある高級ホテルのノブ・ヒル・ランボーンは、「バランス復活バスケット」というサービスで、女性客を勧誘するようになった（トレーニング用のバーベルや水、エクササイズ用のマット、ヨガのビデオが入っている）。また、ホメオパシー療法もオプションで一通り用意されている。子どもが恋しければ、ランボーンでは一日一五分の国内通話をサービスしているから、子どもと話すことができる。さらに、ママがホテルにチェックインするときは、子どもの写真をフレームにいれておいてくれる。さらにさらに、サンフランシスコ土産を一つプレゼントしてくれるから、帰り際にスーツケースにしまいこめばいい。育児は初めてで、不安？ニュージャージー州チャタムにあるパロット・ミル・インの「ママの隠れ場所」スイートは、たくさんいる授乳コンサルタントの料金も含んだ設定になっている。身体を休めたい夫婦には「出産休暇」のパックがあり、妊娠終期のカップルには「ベビームーン」パックがある（もうすぐパパになる男性にはシャンパンがふるまわれるが、ママはサイダーでがまんしないといけない）。

だが、キャリアのほとんどを男性に囲まれてやってきたパム・ディロンのような女性は、女性専用ホテルに泊まることをどう思っているのだろうか。「まったく偏見はないわね。サービスがきちんとしているなら、とても落ち着いたものになるだろうし。想像だけど、なんらかのパブリックスペースがあるんじゃないかしら。自然光が差し込むような。照明も適切で、とてもリラックスできるスペースね。繰り返すけど、男性の視線はお断り。女性なら、ただリラックスしたいだけなんだから。私は最先端テクノロジーなんて感じたくないの。誤解しないでね――私は現代的なものは大好きだし、知識としては最先端のものに触れていたい。ただ、ホテルの部屋では勘弁してほしいというだけなの」

最後に、パム。ホテルのレストランについてコメントしてくれる？　大抵はいかにも男くさい旅行者に合わせたメニューになっているから――ゾウの親子が満腹するくらいの量だったり。

私は、自分が旅行をするうちに、メニューにある料理をつまみぐいして対処するという方法を身につけた。ステーキの付け合せのバスマチライスと、Tボーン・ステーキについているアスパラガス、神戸ビーフのハンバーガーに、フライドポテトの代わりにブロッコリーをオーダーする。キッチンにしたらそれほど面倒なことじゃない。実際、ダメだとは言えないはずだ。食材はすでに調理されているか、手元にあるかのどちらかなのだから。

パムは自分なりの方法でこのジレンマを回避している。「私は前菜を二品オーダーすることにしているの」

とても多くの女性がそうしていることに、旅行をしているうちに気がついた。あまりにも多くの人が心臓発作になり、スコッチソーダを好む男性の時代も、卵四つとハッシュドポテトのビッグなスペシャルブレックファストの時代ももう終わりだ。だとしたら、栄養に配慮し、健康志向の男女のニーズを取り入れるようなホテルが少ないのはなぜだろうか？　ホテルのメニューのすべてに、チーズやバター、シロップがたっぷりかかっている必要はない。ファストフードレストランは、十分にその役目を果たしている。少なめの量に野菜、果物、オレンジ以外のジュース――注文お願いします。

どうぞ、おくつろぎください。

8

女性にとっての家電量販店

女性にやさしいショッピングモール

小さなショッピングモールにいる――どこにでもあるような場所だ。

ここから一八〇メートルくらい離れたところにあるベスト・バイを見逃すことは、ありえない。その横にはターゲット、もう一方の横にはパニーニのチェーン店があり、屋外にもテーブルをおいている。この巨大なベスト・バイは、レンガの外壁と窓ガラス、ネイビーブルーの大きな角ばったヒレのようなものが張り出し、黄色の値札に書かれた社名は、カレッジのホッケーリンクと同じくらい目立っている。デザインという点で言えば、建築的には見た目どおりの男性的な構造だ――すべてが平面的でごつごつしている。角度も見苦しい。店内にはいったい何が置いてあるのか、初めての客にわからせるヒントは外観からはまったく読み取れない。布団だろうか？　高速モーターボート？　中古車かな？　男性専用の会員制クラブかもしれない。「男性専用」のね。

目の前で、男性と女性が混乱する事態になっている。ちょっとした、だが印象的な構図だ。一人の男性と一人の女性がまさに同時にベスト・バイに向かっている。いったん、敷居をまたぐ、つまり移行ゾーン（多少薄暗い、客が足を踏み入れるスペースで、次の入口の手前にあるゾーン）に入ると、我らが男性はためらうことなく右の入口に向かった。ヤツがこの店に来たことがあるのは間違いない。どこに行けばいいのか、わかっている。一方、女性はゆっくり左に進んでいく。「出口」と書いてあるガラスのドアにぶつかりそうなのに、気がつかない。

おっと。間違えた。女性はやっと向きを変え、男性を追って正しい入口を抜けて、売場に出た。外観——この場合、この店や全国にあるベスト・バイの滑稽なほど男性的な外観——は、まったくの見掛け倒しだ。他の大型店舗と同じくベスト・バイは、いったん店内に入ると、女性という種が居心地よく感じるよう、すばらしい努力をしている。実際、ベスト・バイの本店には「女性にやさしいチーム」を率いる人材までいるくらいだ。

さて、入ろうか。

「いらっしゃいませ」。ドアの横の受付にいたひげ面の若い男が声をかける。彼は店の「シュリンク」担当だ。「窃盗」の方がわかりやすいかな。彼の仕事の一つは、客が店を出るときに、会計係が客に手渡したレシートと、その客が持っている大きな袋の中身が一致しているかどうかを確かめることだ。

「どうも」と返事をしておく。

女性の影響が始まる……ここからだ。

女性販売員を増やして成功した家電量販店

全米家電協会が最近発表した調査によると、全米での電化製品の売上全体の約半分は、女性によるものだという。そりゃそうだろう。数値はもっと高いと思うが。同時に、多くの小売店は、女性が大型家電量販店を避けていることを認識している。その理由は、（一）商品の選択肢が多すぎる、（二）客にあわせた対応が十分じゃない。たとえ、女性客にアドバイスできるだけの知識を持った販売員をつかまえることができたとしても、だ。だから、実際にベスト・バイで買物をする代わりに、女性はオンラインに行き、お目当てのテレビやノートパソコンについてリサーチする。サイトを行ったり来たりして比較をした上で、オンラインで注文するか、確かな情報を持って店に直行する。

歴史的に、食べ物や、ベッドシーツや衣服のようないわゆる織物類は、女性をターゲットにしてきた。その一方で、耐久消費財――テレビやコンピュータ、車、ミキサーさえも――は、男性がターゲットだった。エンバイロセルがずっと抱えている問題は、クライアントがサムスンであろうがノキアであろうが、どうやって小売店はこうした耐久消費財を女性に結びつけるのかということだ――女性にとって、「かっこいい」なんて重要でないのだから。

家電業界での仕事を通して、店の繁昌と、フロアで働く女性従業員の間に直接的な関係があることに何度も何度も気がついた。この教訓に出会ったのは、一九九〇年代にラジオシャックの調査をしたときだった。この問題は、ショッピングモールという環境においてはとりわけ、注目に値する。ほとんどのショッピングモールの通路は、女性で埋め尽くされているのだから、女性従業員を大幅に増やすことは筋が通っているのでは？　と、ラジオシャックに提案した。ラジオシャックは、これを受け入れた。そして非常にうまくいったのだ。男性客もひきつけた。男性客が女性のテクニカル販売員におびやかされる可能性は、女性客が男性のテクニカル販売員におびやかされる可能性よりはるかに低い。

しかし、なぜ――ちょっと聞いてみたいのだが――平均的な女性は同じジェンダーに属する人とやり取りする方を好むのだろう？

一言で答えようか。女性は女性の方を信頼するから。より高い利益を得るために何かを売りつける可能性は、女性従業員の方が低いと感じているからだ。加えて、女性客は、男性従業員が見くだすような感じで自分に話しかけるのを、いささかでも感じ取りたくないから。女性客がどの程度自信や知識を持っているかは、従業員に手伝いやアドバイスをいかに求めるかということに影響する。電化製品のことをよく分かっていない女性客にとって、自分の自信のなさに気づき、理解してくれる女性従業員とやり取りする方が、自分を急かせるかもしれない若い男性従業員に話しかけるよりも望ましいのだ（男性客の多くが、ほとんどの女性客以上にテクノロジーについて知っているということではない)。

数年前、ベスト・バイはシカゴ郊外に女性をターゲットにしたモデル店舗をオープンさせた。そこで力を入れたのは、店内での教育活動である。この店舗には、本物の教室が設けられ、作業台や椅子も用意された。アイデアは単純だったが、戦略的な側面もあった。女性たちがテクノロジーの使い道を教われば、その分だけ多くのテクノロジーについて検討するだろうし、購入する可能性も出てくるからだ。ベスト・バイが、女性にデジタルカメラの使い方と専用プリンターへのつなぎ方を教えれば、例えば、自分で撮った写真をトリミングしたり、オリジナルのグリーティングカードを作ることがどれほど簡単なことか実感するだろう。長い目で見れば、より高価な商品の購入につながるかもしれないではないか。アップルのショップでも、ｉＬｉｆｅやｉＷｅｂのクラスを設けて同じことをしている。ホールフーズでは、自前のヨガクラスを開講しているとも聞いている。一般的に、女性がデジタルカメラの仕様――８メガピクセルのＣＣＤ、四倍光学ズーム、手ぶれ防止ズームなど――以上のことを理解すれば、夢物語以上のことを想像できるようになるし、新たなライフスタイルも描けるようになる。

だが、これも頭に入れておいたほうがいい。パッケージに印刷されている実際の情報は、価格を正当化すると同時に、価格から目を背けさせるとんでもない手段でもあるということを。

ベスト・バイの経営陣に言わせれば、女性をターゲットにしたモデル店舗は大成功だった。なぜあの店が閉店になったのか、理解に苦しむ。だが、ベスト・バイの動機は、合理的で賢明だったし、今でもそうだ。

人間関係を円滑にするモノ

このベスト・バイでは、セキュリティを通過すると、店舗内には女性が、一見して、そしてさりげなく、あらゆるところにいる。

まず第一に、頭上のスピーカーからは専門販売員は女性だという案内が流れている。

私がいの一番に出会ったのは、にっこりした若い女性のストアマネージャーだった。彼女は売場の案内をしましょうかと声をかけてきた。いや、結構です。見てるだけですから。

ちょっと顔を上げてごらん。あ！　それを見るついでに、店の奥にも目を向けてみて。このベスト・バイの店内にある看板の一つひとつ――向こう側の壁には、若い女性がノイズキャンセリングヘッドフォンをつけてベッドに横になっている六メートルもある写真や、大学生くらいのカップルがソファに寄り添って座り、大画面テレビで映画を観ている写真、壁掛けスピーカーを宣伝する写真では、若い男性がひいきの野球チームを応援している隣に女性が座っている――が、耐久消費財をテクノロジー好きの男性クラブから、女性向け（あるいは、少なくともジェンダーに中立な）の商品に転換させようとするベスト・バイの努力の一環なのだ。ストアマネージャーに始まり、壁から視線を投げかける女性に至るまで、こうした趣向が凝らされているのは、製品の仕様やたくさん並んだテレビ、最新のロックを試聴して暇つぶしをしている一〇代がたむろする場所という印象だった環境に、気安さと親近感を持たせようとするためだ。

五メートルほど奥に進んで最初に目につく商品は、台の上に所狭しと並べられたデジタルカメラだ。四、五〇はあるに違いない。形や色、サイズ、値段もさまざまだ。言っておくが、カメラを並べている台は長方形ではなく、角がまったくない。角がなく、ゆるやかに波打つような流線形だ。とはいえ、男性的なデザインは角ばって見た目がカタイものばかりで、女性がとことん惹かれるのは角を取った曲線で、少なくとも、心地よいあいまいさを残したデザインだ、と言うのは安直すぎるだろう。だが、ここが真実の核心部分——最初の一歩——であり、商業デザイン業界で進化し続けている点だ。

エンバイロセルの周りで、禅の公案と言っていいほどに語られていることがある。男性が007に出てくるような秘密兵器としてテクノロジーや家電製品を買い求めるのとは異なり、女性は、人とのつながりを円滑にすると同時に生活を楽にするツールであり、実用的なものを購入するということだ。私がテクノロジー分野のクライアントに何度も繰り返し伝えているのは、男性はテクノロジーが凝縮したモノを買うが、女性は人間関係を円滑にするモノを買うということである。女性は、相互にやりとりし、協調的な関係を築くものとして、コンピュータをとらえている。そうして、コンピュータや、閲覧するウェブサイトとの関わり方を決めるのだ。一方、男性はありとあらゆるオプションを選ぶ傾向がある——2・4GHzのインテル社製Core Duo、3

MB、L2キャッシュ、反射防止処理TFTワイドスクリーン、LEDバックライトディスプレイ、250GB、5400rpm、シリアルATAハードドライブなど（こうしたものが何を意味するのかさっぱりわからないが、この仕様なら仕事も順調に進むのだろう）。

あまりに男性的で、あまりにオタク

サーキット・シティやComp USAが低迷したのは、彼らが売っていたのが電子機器や電化製品ではなく、テクノロジーだったからだ。一つ例を挙げよう。サーキット・シティは一九九〇年代に急成長した企業だ。従業員の給料は歩合制で、チームを組み、それぞれが店内の一つの売場を任されていた。事実上、そこで働く一人ひとりはお互いに競合する仕組みになっていたわけだ。そのため、サーキット・シティの従業員は、お客にお勧めするというモチベーションがまったくなかった。つまり、高価なテレビに大枚はたいたお客に、少し先の売場で新しいテレビにぴったりのテレビ台をご覧になってはどうですか、などと声をかけることはなかったのである。

思うに、サーキット・シティやComp USAが破綻したのは、消費者像が変わったということを彼らが意識しなかったせいだ。どちらも、あまりに男性的で、あまりにオタクだった。両社の事業のやり方は、家電製品を自動車部品ショップのように販売することだった。中西部を拠点にするベスト・バイは、新しい消費者――女性――と、何が望まれているのかをいち早くとらえたのである。それは、教育、コミュニケーション、そして、どこであろうと押し付けられないこと。

ベスト・バイの従業員が、自分たちは歩合制ではなく、声をかけられれば店の従業員の誰もが手を貸しますよ、と真っ先に客に伝えたことは偶然ではない。これで客は気楽になった。プレッシャーをかけられることも、あしらわれることもないとわかったからだ。繰り返しになるが、こうした押し付けがましくない接客は、ベスト・バイがサーキット・シティとの差別化を図ろうとした結果である。歩合制にする代わり、経営陣は売場ごとに基準や標準を設けた。今日でも、従業員の賞与は個人ではなくチームの達成度が基準になっている。

想像力をかきたてるべし

それでも、女性客との関係で言えば、ベスト・バイには想像力をかきたてるような完成されたイメージがほとんどないことを不思議に思う。女性にモノを売るもっともよい方法は、彼女たちの想像力を駆り立てることだということを、何度も実感してきた。デジタルカメラの例のように、女性は、この製品が自分たちの生活にどう役立ってくれるのか、どのようにして自分と家族にある種のライフスタイルを楽しませてくれるのかということを想像して楽しむのである。女性消費者のなかには、座り心地のいいソファがある部屋に家族が集まり、全員で映画を味わうことを想像して楽しむ人がいるものだ。思い出してほしい。男性という種は自分のお金を使うが、女性は家族のお金を使うということを。

例えば、この店舗の一番奥のコーナーには、リンクシスのワイヤレスルーターが展示してある。数限りないほどに。仕様は大きな字で書かれている。このモデムはすごいぞ！　だが店側は、このモデムをどうやって生活に取り込むかということを女性客にアピールしていないのだ。これによって生活はどうよくなるのか、どう広がりを見せるのか、どのように豊かになるのか？　遠距離恋愛の彼ともっと早くメールのやり取りができるのか？

一般的に、男性が知りたがるのは、このテクノロジーは何のためだろう？　かっこいいものかな？　効果があるのかな？　といったことだ。

一般的に、女性が知りたがるのは、これは、どこでどのように私／私たちの役に立つのかしら？　といったことなのである。

同じことはテレビ売場にも言える。ベスト・バイの店舗の多くには、マグノリア・ホーム・シアターがある。ここは、商品を自宅に持ち帰り、リビングルームや地下室、あるいは二階のコーナーに備え付けた様子を見せるスペースだ。テレビスクリーンは壁にかかって、光り輝いている。その向かい側には二脚の快適な肘掛け椅子が置いてある。コーヒーテーブルもあり、その上にはリモコン。これは、新しいテレビ売場のやり方だ。普通の売場には、チカチカする角ばったカラスが電線に並んでいるかのように、ソニーやパナソニック、デノン、サムスンが次から次へと並んでいる。そうした状況で区別するなんてことは、とてもできない相談ではないか。

お客様の悩みに耳を傾ける

コンピュータ売場に行ってみよう。

女性がノートパソコンを買う場合、重さを基準にして買うモデルを選ぶことが多い。残念ながら、ノートパソコンの場合、サイズと重量はほとんど関係がない。ノートパソコンのコーナーをうろついているうちに、何を見かけないのかということにはっとさせられた。まったく残念なことなのだが、例えば、最軽量モデル！　と謳う大きなポップがない。そうしたポップは女性客の受けがいいはずだ。

ベスト・バイでは、一つ隣の通路にパソコンバッグを並べている。ベーシックな黒のバッグに取って代わる、しゃれたバッグだ。色もさまざまだし、ストライプ模様があったりして、実に目立っている。だが、フックにかけられている鏡は、女性がバッグを肩にかけてどう見えるかをチェックするには小さすぎる。機会の喪失――お気の毒さま。

店内での教育活動がいかにいいアイデアかはすでに述べた。店外での教育活動もうまいセールスポイントになるし、売上につながる。二〇〇三年、ベスト・バイはギーク・スクワッドという中西部の小さな会社を買収した。その会社の一つの特徴は、青いシャツを着た若い男女が待機して、高額な商品に伴う悩みの種を取り除いてくれることだった。そのサービスプランを申し込むと(安くはない)、ギーク・スクワッドの面々は屋根の修理以外のありとあらゆることをやってくれる。コンピュータのルーターをセットアップし、配線をくるんで隠してくれる。ホームシアターの設置に、低音域スピーカーも高音域スピーカーもちゃんと接続してくれる。オレンジ色の端をしたDVDコードをしかるべきところに差し込んでくれる。ベッドの向かいの壁に、取り付け用の金具を使って大型テレビをぶら下げることも、まったく問題なし。このサービスは、GPS機器や衛星ラジオを買っても申し込める。

ギーク・スクワッドのもう一つの仕事は、当然、お客が新しいホームシアターにお金をつぎ込んだ今、それに合わせて、一流スピーカーや高品質のケーブルやコードを一緒に買う気はないかどうか、説得することだ。こうした追加の商品は、ホームシアターで過ごす時間を最大限に充実させてくれる。ベスト・バイのサービスは、同社で最も急成長している分野だ。

女性にアピールするための配慮をもう一つ。

若いカップルが買ったものの会計をしている。たぶん、新居か新しい部屋に置く豪華なプラズマテレビか何かだろう。肩を寄せ合って椅子に座り、ベスト・バイの従業員はその斜め向かいにいる。コンピュータの画面には、買ったものと、それに付随する周辺機器一覧、加えて支払う必要のある売上税が並び、三人の目の前にある。これは透明性が高い一つの例だ。セフォラが展開したモデルを思い出してしまう。セフォラはコスメティックとスキンケアのブランドで、従業員とお客をカウンターの同じ側に座らせ、客の立場を転換させた。実際の会計は従来どおり、レジで行うのだが、店内のやり取りに関しては、客とセフォラの販売員は同じチームになるのである。これは、親近感と協同性を促す手本だ。ここには、こちら対あちらという要素はかけらもない。こうして、この経験は強い結びつきとなり、お買い上げにつながる——女性客からすれば、非常に印象がいい。

われわれは何も買っていないが、もう出ようか。

レジ周りとトイレの工夫

ベスト・バイは、レジ周りをすばらしくうまく機能させている。実際、ここは店で最も利益を上げる場所だ。どうやって、そして、なぜうまくいっているのだろう？　客を三列か四列に分けて並ばせるのではなく、一列に並ばせ、一本の通路に誘導するからだ。その両側には、男性の眼も、女性の眼もひきつけるような衝動買い商品が置かれている。ここには、ウォークラフトのゲームカードや単4形電池、スナック、冷たい飲み物、パーツビーズのリップグロス、ボタンを押せば蛍のように光るカラフルなギフトバッグまで、何でも揃っている。

ここでそれ以上によいのは、見落としようのない大型のポップが、大柄のベスト・バイの従業員が台車を使って重い荷物を車にお積みしますと、女性客（男性客にもだ）に呼びかけていることだ。私は、ベスト・バイの通路で重い荷物と格闘している女性を見かけたことがある。買ってしまう商品と、車の後部座席に積み込むことなど考えられない商品とを分けるのは、運ばなければいけないモノの重さによるとは男性は気がつかないだろう。どうやって家に運ぶのかといったことは、それ以上に考えられない。車まで無料で運びますというサービスをお知らせする大きなポップは、文字通り、肩の大きな荷物をおろしてくれる。比喩としても、そうだ。女性からだけでなく、男性からも。

店を後にする前に一カ所立ち寄りたいところがある。女性トイレだ。私はニコニコしている女性のストアマネージャーをつかまえて、誰も入っていないかどうか確かめてもらった。

ベスト・バイの女性トイレはいい方だ――清潔だし広い。使っているのは大理石だ。ベスト・バイは、洗面台と洗面台との間に、大きくて葉のたくさんついた植物をぶら下げ、代わり映えのしない冷たい印象をぶち壊そうとしていた。無表情な大理石に、多少の動きと雰囲気を加えようとしたのである。マネージャーいわく、他の店舗のトイレはもっと豪華ですよと教えてくれた。飾り照明もあるのだと――ただ、その店にはそこまでのトイレはないというだけのことだった。

覚えておいて欲しい。そのうち、そうなる。

質問。男性は、従来、男が集まっていた場所であるベスト・バイに、女性の影響力が大きくなることについて、どう思うのだろうか？　気づいてすらいないのかもしれないが。ある意味、この質問は無意味でもある。なぜかといえば、ベスト・バイはすでに男性に人気があるからだ。ギーク・スクワッドは、テクノロジーに弱い男性にとってすばらしいコンセプトだ。これは、そうした男性自身が感じていた何でも屋になれない劣等感を慰めてくれたからだ——そのやり方を知っているのは、プロだけだから。これをテクノロジーに弱い女性に当てはめると、また別の問題が浮上する。一つの解決法は、女性の専門家をもっと配置することだろう。コンピュータに詳しい女性を一人置くということは（たくさんいてもいい）、賢明なアイデアだし、そうした女性の時代はすでに到来している。

色とカタチ

デジタルカメラの流線形のテーブルが頭から離れない——このベスト・バイの店舗に入って、一番最初に見たあのテーブルだ。

プロのデザイナーと何年も付き合ってきたから、デザインと建築の二つが、ジェンダー差をなくした職業としてもっとも新しい部類に入ることはよく知っている。一九七〇年以前に活躍した女性建築家を挙げるのは難しい。仮にいるとしても、それは、その女性が建築家の夫という後ろ楯を得たからにすぎない。友人のエル・シュートは、オハイオ州コロンバスで戦略的なデザインとブランディングを提供する会社を経営し、商業デザイン業界で起きつつある方向転換を先導する一人だ。彼女はずっと、物理的環境は、肉体的にも感情的にも人に影響を与えると考えてきた。

空港の長蛇の列に並んでいる人を想像すると、カウンターの裏でその人の首を絞めたくなるの、とエルは言う。同じ人物が大聖堂にいるとすれば、決してそうした考えは思い浮かばないのだけど。

エルと彼女の会社は、シーツというアメリカのコンビニチェーン店の仕事をしたことがある。ここの売りは、おいしいオーダーメードの料理とコーヒーだ。エルの目的は、男性客をつかんだまま、女性には、そのコンビニに安心感を持ってもらうことだった。

「男性客向けに、店の外観を工場のように改装したの——加工していない資材を使ったり、メッキ加工をしたりしてね。それと同時に女性客向けに、硬い椅子をなくして、円形にカーブしたスペースを設けたの。丸いブースを作ってね。色や照明もやわらかいものに変えたわ。バランスを取るために、角ばって、手を加えていないような仕上げにしたの。その後、女性に聴き取り調査をしたら、女性はそのスペースで本当に気持ちよく過ごしていたことがわかったわ」

とはいえ、これは「男にはハードがふさわしい」対「女性にはソフトな感じがしっくり」という単純なものではないことは、エルも認めている。ほとんどの場合、女性は単に一色でなく、変化と、さまざまなパターンがあるものを好むと言う。

「最近、アルゼンチンに行ったけど、露天市場を歩いてみて、男性と女性の買物の仕方がまったく違うことにびっくりしたわ。店舗でも同じだと思ったの。男性も女性も目的があって店に立ち寄るけど、だいたい、男性は自分のやり方で買物をするのね。でも、女性を見ていると、最初の目的は一つだったのに、状況に影響されて変わっていくのよ。目に入るものや音、色なんかで五感が活発になるのね。歩く速度もゆっくりになって、まわる範囲も広がっていく。脳が刺激されて、歩いているうちに、他の目的もそこで片付けられるということを思い出すのよ。時間はかかるし、のんびりしているように思えるんだけど、実際には時間を賢く使っているし、一日を振り返ったら、効率よかったな、甲斐があったな、って思うはず。そういうわけで、ショッピングがいろいろな意味で、男性よりも女性を満足させるし、リラックスさせるものでもあると思うのよ」

エルは、さらに続けてこういった。「おそらく、女性デザイナーがスペースを全体的にとらえるのはそういう理由からかもしれないわ。男性デザイナーには、こういうことを伝えないといけないの。『店舗は部分じゃなくて、全体でとらえなきゃ』って。男性デザイナーは、『店舗を大きくすれば、その分儲けられる』って考えるみたいだから。要は、そうは問屋が卸さないってことなのね」

ライト、ブライト、ホワイト

衣料品店からドラッグストアの医薬品コーナーまで、今日どこを見回しても、女性向けに設計されている証拠を見つけることができる。曲線。丸み。面取りされた角。環境に配慮したデザイン。ステンレスよりも木材を強調し、店内のスペースもショールームも、不必要に角を作っていない。美しく見せる照明に、快適な椅子。壁に取り付けられた備品でさえも丸みを帯びたものになっている。朝、目覚めたときに、こう言ってしまいそうだ。ちょっと待って。つまり、この世は直線や角ばったものでなくてもいいってこと？　こうしたやわらかさは、デザインが女性化しているおかげだと思う。

エンバイロセルは、店舗を設計するわけではない。確かに、エクソン・モービルに行って、御社のガソリンポンプや機器に戸惑っている女性を見ましたよ、と言えば、彼らはわれわれのアドバイスを受け入れるだろう。H&Mに行って、「この薄暗い試着室をデザインしたのはどこの誰ですか？　奥様やお付き合いしている女性、娘さんに、あそこで試着させるおつもりですか？」と尋ねれば、検討するだろう。おもしろいことに、コンビニエンスストアは、ワインやお酒についての女性の好みを表すマーケティング用語を使っている。ライト、ブライト、ホワイトだ。新しいエクソン・モービルやブリティッシュ・ペトロリアム（BP）に併設されているコンビニエンスストアを見れば、清潔さに力点を置いていることがはっきりとわかる――私の最初の本『なぜこの店で買ってしまうのか――ショッピングの科学』がこれに関係していると思わざるを得ない（コンビニ業界がこの書籍を受け止めてくれたのは、うれしい）。エクソン・モービルもBPも、新規のガソリンスタンドが女性に受け入れられるよう努力した。ガスポンプにも給油台にも照明があたって明るくなるようにし、コンビニエンスストアを併設したことに加えて、掃除しやすいような作りにもした。石油会社直営のガソリンスタンドにとって、売場をきれいにしておくことは最優先事項である。われわれが女性に聴き取り調査をした限りでは、この新しいガソリンスタンドは、アメリカやドイツ、イギリス、アイルランドで大当たりした（と思いきや、アクロの最高経営責任者がこう言ったことを思い出す。同社では、経費節約のためにガソリンスタンドにペーパータオルを置かないことにしたのだという。われわれの調査結果では、手についたガソリンのにおいを取るとか、給油をした後で手についた油をぬぐうために、多くの女性がペーパータオルを使っていることがわかったのだが）。

もう一つつけ加えれば、見方によっては皮肉になるのだが、平均的なコンビニエンスストアがきれいで明るくなり、商売は活気づき、女性客からは多大な支持を得たものの、一〇代の少年たちからは人気がなくなった。もはや、ゴキゲンにたむろする場所ではないからだ。

四メートルの高さの棚に囲まれて、女性がすぐに薄気味悪さを感じてしまうような大型ホームセンターやオフィス用品チェーン、あるいはその他の店舗は、こうしたあらゆる変化を受けて、どう変わるのだろうか？　女性は広すぎる場所にいると、間違いなく、ぞっとしてしまう。一人ぼっちでいるように感じるとか、近くにドアがない、他の客を見かけないといったときだ。こうした店はいつの日か、専門店と同じ道を歩むのだろうか？　大いにありえる。今なら想像がつく。丸みをおびたスペース。ふかふかの椅子。円形に並べてある携帯電話ホルダー。プリンタ三〇台ではなく、五台くらい。カメラ二五台ではなく、三台程度。そして、曲線を描くように並べられたエプソンやヒューレット・パッカードの製品。

試してみるといい。女性はためらうことなく、黒一色のインクジェットカートリッジに二五ドル出すだろうから。

9

ギャンブルにダイエット、喫煙に飲酒

娯楽と女性

七つの大罪をご存知？　グーグルで検索すれば、ヒントはすぐに見つかる。色欲、暴食、強欲、怠惰、憤怒、嫉妬、傲慢の七つだ。

女性と不道徳という概念に、この七つの大罪は含まれない（不道徳といっても、軍服姿の軍人が足枷をはめられた女性を無理やり連行するという状況について話しているのでないことはご理解いただきたい）。私が言いたいのは、ある種の日常的な娯楽に女性がどのように影響を及ぼし、どう変えてしまうのかについてだ。わたしたちの生活を豊かにするような娯楽に対して、である。ここでは、女性が多くの責任を引き受けている点よりも、現代的な女性が怒ってすべてを投げ出して責任放棄するという点に注目したい。

午前中のうちに四カ所をカバーすることにしよう。カジノに行って、女性と食事について考えて、地元の酒屋に行き、最後にドラッグストア・チェーンでレジの後ろに陳列されているタバコの棚を眺める、と。

では、出発。

罪その1　ギャンブルとカジノ

ラスベガスにようこそ。ネバダ州は、カジノの数ではこの国でダントツ――ネバダにはこうした罪深い場所が三七〇もある――だが、アメリカに五〇ある州のうち、八つを除いた残りにはカジノがある。海上にもあるし、陸上にもある。まじめ一本やりで通してきたマサチューセッツ州でさえ、カジノについて検討しているくらいだ。カジノがすべてのギャンブルを代表するわけではない。ギャンブルには競馬や犬レースなどがあるし、リゾート地、クルーズ船などでも行われているから。

人を魅惑するものとしてのギャンブルには長い歴史がある。エジプトの墓地からは、さいころが発掘されている。紀元前二三〇〇年ほど前、中国からローマに至るまでのあらゆる文化で、手先の器用さと運に左右されるゲームを行っていたことがわかっている。忘れてならないのは、一七〇〇年代初めにイギリスがアメリカを植民地化したときには、くじ、別名「自発的課税」による上がりで資金の一部をまかなっていたということだ。当時のギャンブルはそういうものとして知られていた。

アメリカのカジノ産業は、そもそも男性が作りあげ、男性がオーナーとなり、男性が経営してきた――考えてみれば別段、驚くことではないが。だが、この業界が今日、健全になっているのは、女性ギャンブラーに負うところが大きい。業界の転換は、テーブルゲームやカードゲームよりもスロットマシンの方がはるかに上がりが大きいことにカジノが気がついた瞬間だった。はっきり言えば、カジノは男性客よりも女性客からよっぽど多くの金を巻き上げていたということだ。

一九八〇年代後半までスロットマシンが果たしていた機能は、デパートや専門店などで眺めのいいベンチや椅子が男性の役に立ってきたのと同じだ――ただし、スロットマシンには女性のギャンブラーばかりだったが。男性はテーブルでブラックジャックやクラップス、キノ、バカラなどで負けてばかりだった。ライ麦のウイスキーが入ったグラスを持ち、びくびくしながらそここに賭ける――そうした男はすっからかんになって、おそらく何も学びとることなく、家路につくのだ。

再び、一九八〇年代に入ったころの話だが、カジノ業界は男性の勝ち組、それどころか負け組の場所という視点から小売について考えるようになった。つまり、男性が妻に「ごめん、これで勘弁して」という土産物を買える場所として考えるようになったということだ。スロットが日の出の勢いとなり、うまく商売をすることが重要性を増すなかで、アメリカのカジノ業界は大転換を果たした。シーザーパレスにあるショッピングモールのフォーラムショップは、世界で最も成功しているショッピングモールの一つだ。ザ・ベネチアン・ラスベガスや、もっと最近ではウイン・ラスベガスにあるショッピングアーケードは、女性客がどれほど重要であるかを目をむくほど見せつけてくれる例だろう。役割が大逆転し、今日、テーブルは男の溜まり場となり、女性はドルやコイン（最近はプリペイドカードだ）をスロットマシンに飲み込ませている。

カジノは、一九九二年の時点で、アメリカにおけるギャンブルの売上が五八二億ドルに上ったことをよく理解している。これは、客に払い戻した額を差し引いた賭け金で税込み。その内訳はカジノ関連の商売やくじ、法で認められたノミ屋、ビンゴ、インディアン保留地、カードゲームなどからの売上だ。二〇〇七年には、ギャンブルによる最終粗利益は九二三億ドルに上った。アメリカで五本の指に入るカジノは、ラスベガス・ストリップ、アトランティック・シティ、シカゴランド（これはインディアナ州とイリノイ州にまたがっている）、コネティカット、デトロイトだ。

大成功を収めた上、びっくりするほど急成長している業界が女性をひきつけたのは、スロットマシンにわざわざテーマをつけ、女性が大人になるまでに見ていたテレビ番組への郷愁を覚えさせたからだ。『ギリガン君ＳＯＳ』や『じゃじゃ馬億万長者』、『かわいい魔女ジニー』といった六〇年代のテレビ番組や、『ホイール・オブ・フォーチュン』、『ジョパディ！』、『ザ・プライス・イズ・ライト』といった昼間の長寿クイズ番組などがそうだ。

数年前、私はＩＧＴのクリエーティブ・チームと一緒に、楽しい週末を過ごした。ＩＧＴはリーノーにある、スロットマシンの設計製造会社だ。われわれは、今後のゲーム機の可能性について、いくつかのアイデアを検討した。そのときの目標は、チームプレーがしやすくて、個人プレーもできるというコンセプトにすることだった。

カジノ業界にとっては女性の方がいいお客になっていたため、スロットマシンはギャンブルというよりも、娯楽に変わりつつあった。一九五〇年代には腕一本の無法者でしかなかったものが、二一世紀になると娯楽マシンに変身したのである。それまでのイメージを想起させるものは、すべて一から作り直された。マシンは、放り込まれた賭け金の一定割合を払い戻すように作られていたが、カジノが高級になるに従ってその比率は下がり、プレーヤーがジャックポットもどきの体験を味わえる仕組みになった。もう一つの大きな工夫は、マルチプレーヤー機能。一度に一回分以上の賭け金を投入できることだ。カジノ最大の稼ぎ柱は、ペニーマシンだった。一度に一ペニーかけるのではない。ゲームを何回かやって、ペニーを重ねたタワーを作るというものだ。こうして、ビンゴに何回か挑戦するのと同じように、このマシンで遊んでいると、だんだん集中していく。その結果、はまってしまう。ペニーマシンは特に女性に人気がある。

こうした変化に加えてカジノ側が気がついたのは、もし女性がカジノにかなりのお金を落としてくれるのだったら、そうした輝かしいジェンダーに、もっとくつろいでもらうべきではないか？　ということだった。今日のカジノには、すわり心地のよいビロード張りの椅子が置いてある。背がまっすぐの事務用の椅子や薄汚れた赤いスチールなどは見当たらない。さらに、ハンドバッグをかけることもできるようになっている。硬貨ではなく、あらかじめチャージしたカードが登場した。人件費と衛生面の両方で折り合いがついたということだ(ほら、ここでも「清潔」が登場しただろう?)。

この視点からすれば、ポイントカードを導入して、客の儲けを追跡するのは当然だろう? 考えてみると、最近のカジノは、ギャンブルとポイントを不謹慎にも合体させてしまった場所だ。ポイントカードは、カジノが個々の客を監視し、客ごとの賭け金の額に応じて特典を提供する方法である。同じようなこととしては、テーブルで大金を賭ける男性がこれまで、無料のスイートルームやリムジンサービス、その他想像できないような優待を受けてきたことだ。一〇〇ドルそこらを失った女性客は、その晩のビュッフェに使える五ドルの無料クーポンをプレゼントされていたのかもしれない。無料といっても、そのクーポンにどれほどの額を実際に投下したかを考えなければ、の話だが。

カジノの高層階にあるホテルで女性が恋人と一晩を過ごすとき、テレビをつければ、クラップスからブラックジャックに至るまでのあらゆるゲームのルールや複雑な仕組みを説明する女性を見ることになるだろう。あらぬ想像はしないでもらいたい。カジノは、女性をスロットマシンから引き離そうとしているのではない。女性は上客だし、無理もしないし、信頼できるのだから。ただ、平均的な女性のギャンブラーは、男ばかりが賭けをしているテーブルにつくのは、少し場違いというか、居心地の悪さを感じるものだ。たとえ、ディーラーが女性であったとしても。カジノホテルは、何にもまして、女性に心地よく感じてもらうことが、カジノ全体の大きな関心事だと思っている。好むと好まざるとにかかわらず、女性がギャンブルの場でこれまで担ってきた役割は取り巻きだったのだから。だから、女性が部屋にチェックインすると、タバコをくわえたルイ・プリマではなく、ソフトな女性が、テレビのなかから客をくつろがせてくれるのだ。

スロットマシンが並んだ壁の前に戻れば、女性はすぐに満足する。スロットは、ゲームテーブルよりおおっぴらなものではないし、はるかにゆっくりできるから。大負けするかも、なんてことは決してない。それに、スロットの近くには他の女性もいる。換金までしてくれる女性が。そこは、女性が腰を落ち着けるにはとても安全な環境なのだ。エンターテインメントと称するギャンブルは、アルコール入りだとは気づかないほど甘くカラフルなお酒をちびちび飲むようなものだ。飲みすぎれば、千鳥足で帰宅するはめになるような。

罪その2　ダイエット願望

オフィスにほど近い店で、知り合いの女性とランチをしている。私はチーズバーガーにフライドポテト。彼女はビネガードレッシングをかけたサラダ。

食べるとは、まさしく人間の基本的な行為であることは言うまでもない。しかし、多くの女性が食べ物と敵対する関係にあることを指摘するのは、私が最初ではないだろう。私が知っているほとんどの男性にとって、食べるという行為が罪の領域に近づくことは、これまでなかった。すでに書いたとおり、歳を重ねた男性の自尊心（と、世間の評価）は、すらりとした体型にあるのではなく、配偶者と家族を食べさせることができるかどうかにある。これは女性には当てはまらない。

美しく見えるためにという大義の下、女性が自分自身を痛めつけるために行うあらゆることを思い起こせば、数限りないほどある。ダイエットピルにせよ、便秘薬や覚醒剤、タバコを吸いたいという衝動にせよ、容姿を維持することは女性にとって重要な問題であり、せっせと取り組む課題でもある。記憶違いかもしれないが、六〇年代後半に成人になった男から見て、周りにいた女性の喫煙者のうち、いつも料理をしていたのはごく少数だった。彼女たちはスナック菓子で空腹をなだめる気にはならなかったのだと思う。食べるという行為は、自責という女性の罪や、自己啓発本を出す業界と密接に関係している。この業界は今日大きく成長しており、ニューヨーク・タイムズのベストセラーリストに独自のカテゴリーがあるほどだ（さりげなく「ハードカバー・アドバイス」というカテゴリーに含められているが）。私のところに越してくることになっていた女性が、まず荷解きしたものは書籍だったことを今でも覚えている。そうした本が二五冊ほども出てきたっけ。ジョーク半分のもの――『地獄のデート150』――から、感動もの――『四〇以上の貴女に贈る恋人探しの秘訣』――までいろいろあった（思い浮かぶのは彼女が私のパートナーになったということだけだ。あの本は役に立ったのだろうか、それとも彼女を迷わせただけだったのだろうか？）。

二〇〇四年、『ミーン・ガールズ』という映画があった。この映画で、一〇代の女の子四人が自分を順番に責めるというシーンがあった。一人が言う。「ふくらはぎが嫌い」。別の一人が言う。「あーもう、私のお尻は何でこんなに大きいのかしら」。こうしたものが次から次へと続いていくのだ。「この髪の生え際、ヘンじゃない？」「毛穴なんて、なければいいのに」。笑ってしまったのは、「ネイルベッド、最悪」。部屋を埋め尽くす他の男に向かって、こうしたことを言うヤツはいるだろうか？　考えることはあるかもしれないが、果たして、本当に口にするだろうか？　私の経験では、そういうヤツはいなかった。個人的には、鏡の前に座って、自分のあごや鼻や爪床に悪態をつく趣味があるとは言えない。

女性と女性自身や、身体、顔とのあやうい関係につけこむビジネスは、数十億ドル規模の産業になっている。一九九七年以来、アメリカで行われた美容外科施術は一六二％も増加した。米国美容外科学会によれば、二〇〇八年に行われたおよそ一〇〇〇万件に上る外科手術と、外科手術を伴わない美容外科施術のうち、患者の九二％は女性だった。脂肪吸引は、長年、女性に対して行われてきた施術でもっとも多い。二〇〇八年には、バストアップとボトックスに次いで三番目に多かった――この年、アメリカ人が美容施術に使ったおよそ一二〇億ドルのうちのごく一部だ。

歯のホワイトニングはどうだろう？　歯医者通いとホワイトニング剤の売上を合わせると、この業界は三億ドル規模である。米国美容歯科学会の研究によると、ホワイトニングの施術はここ数年で三〇〇％も増えたという。

ダイエット食品やダイエット飲料の業界全体が女性に影響され、女性を第一のターゲットだと主張することには説得力がある。低脂肪クラッカー。牛の赤身。低脂肪ミルク。ダイエット・ソーダ。「焼き」スナック。製菓会社ですら、うちのブレスミントは脂肪分ゼロです、と宣伝している。アメリカ人がダイエットやダイエット関連製品に使う金額は、一日平均で一億九〇〇万ドルだ。ミネソタ大学による研究から、女子大生の五人に一人が一九歳になるまでにダイエットピルを使ったことがあり、また、ダイエットを始めると喫煙者になる確率が二倍高くなることがわかった。どちらも若い男性には当てはまらない。私がインターネットで読んだある報告では、アメリカ人女性の八〇％が自分の体型や容貌に満足していないと答え、二人に一人が常にダイエットをしているとあった。こうした女性の五％と男性の一％は、拒食症や過食症、多食症である。

こういった女性の自信喪失や自責観念はどこから来るのだろうか？　常日頃から目の前で見せつけられる文化的なイメージは確かに、現代女性にある程度、影響する。ファッション誌であろうが、映画俳優を取り上げる雑誌であろうが、すべてがやせ細った女性や美人や金持ちをもてはやしている。加えて、すでに書いたことだが、母親となった女性を中心として多くの女性が、ある種の罪悪感と葛藤して生きている。私が知っている女性の多くは、自分は十分にがんばっていないと感じている。十分にがんばったか、さもなければ、まったくがんばっていない、であり、その次は、「私はうまくいったけど、他にしわ寄せがいくかもしれない――夫にかもしれないし、仕事や子どもにかも」なのだ。人気はあるのだが、マーサ・スチュワートのような達人のライフスタイルを見て、多くの女性は元気になるのではなく、落ち込んでしまう。女性の生活をうまくいかせるものは何だろう？　恋人を見つけることか、それとも子どもを産むことだろうか？　仕事でやりがいを感じることだろうか？　などだ。

『ニューズウィーク』で読んだ記事によると、男性の多くがダイエットをするのは、健康上の理由か健康上の不安があるからだが、他方、自分と友人の体型を比べがちな女性がダイエットをするのは、社会的なプレッシャーからだという。女性が、他の女性を気楽にさせてやることはない。女性は互いに残酷になりうるし、しかも早い段階でそうなる。女性の自尊心は、自分が達成したことにはほとんど関わりがなく、それよりも見た目や着ている服で左右されるのだ。

広告を行う企業はその威信にかけて、女性という種を気楽にさせようとする。石鹸のダヴは「リアル・ウーマン」を前面に出したキャンペーンを展開し、人気になった。繰り返しだが、おそらくこれは、ファッション業界が女性はかくあるべしということと、現実の姿との解消不可能な対立なのだ。

次なる二つの罪は、これと同じ、時としてあいまいな自己イメージに関連するものだ。

罪その3　タバコの効用？

すでに書いたことなのだが、タバコと女性はどちらも減量に関連するところがある。企業もこれに気がついている。女性をターゲットにしたタバコは、細くて長いチューブ状のものが多い。食欲を抑え、脂肪分子を消してしまうという、目をくらませるような白い魔法の杖だ。女性という種が一〇〇ミリのタバコを吸うことが多いのは、皮肉ではない。近しい女性の友人で、時々タバコを吸う彼女が買うのは、ナット・シャーマン・ファンタジアだ。これは一〇一ミリの細いタバコで、色々なパステルカラーで巻いてある。タバコ産業によくある手口で最も悪辣なのは、体型とくびれがきわどいレベルにある女性の喫煙者をターゲットにしていることだろう。私はキャメル・ワイドや、もっとはっきり言えば、太くてずんぐりしたタバコを吸う女性を知らない。ブランドとしてのヴァージニア・スリムは、トーマス・ジェファーソンやその邸宅であるモンティチェロとはほとんど関係がない。それより関係があったのは、やせるという目標を達成することと、その一方で、致命的になりかねない多くの健康問題から女性の目をそらしたということだ。

女性が「ニコチンの少ない」タバコを吸うことは、宙に浮かぶくらいやせ細り、妖精のようになってしまうことに他ならない。

タバコ業界が直面する多くの課題の一つは、タバコ税が値上がりする結果、売上が減ることだ。

タバコを売る場所も少なくなり、コンビニエンスストアは寿命を縮めるこの商品を買える第一の場所となってしまった。タバコ販売のメインとして、その次に挙がるのはドラッグストアだ。タバコ販売は、この業界で大きな議論になった。表向き、客の健康維持に力を入れている店がタバコを売ってもいいのか？　ダメならば、同じだけの利益をもたらす商品として、タバコに代わるものは何か？　不十分ながらもこれに対する答えとして、ウォルグリーンのような大手ドラッグストア・チェーンは現在、タバコの隣にニコレットや禁煙パッチといった禁煙グッズを置いている。

ドラッグストアやコンビニエンスストアのマーケットについてさらに付け加えると、こうした店のタバコの売上は、店がどの地域にあるかといったことに大きく左右される。高所得者が多い地域では、タバコの売上は最低限にとどまる。こうした地域の住民は、どう見ても、この習慣をやめようと決心しているのだ。労働者の多い地域では、喫煙者の数もはるかに多い。確かに、今や誰もがタバコの影響について知っている。しかし、収入が限られている人にとって、喫煙はこれまで以上にささやかな、リラックスさせてくれるものなのだ。タバコが値上がりしたとしても、道楽としては比較的安価だ。高給取りの世界なら、新しいブラウスを買ったり、コンバーチブルＢＭＷを乗り回すことで、同じような欲求を満たすことができるだろうが。喫煙は時間を中断させる――一日の時間を区切る、終わらせる、分けるものだ。多くの人にとって、これは受けるに値する休息なのである。

罪その4　お酒の愉しみ

ちょうど酒屋に着いたところだ。昔の納屋を思い起こさせるつくりになっていて、古いビールのようなにおいすらする。

酒屋での調査を通してエンバイロセルがまとめた報告結果を見ると、犬のテリアのように一途な客のほとんどは、ジャックダニエルというブランドにこだわる男性であることがわかった。そうした客は店に入るや否や、棚に直行し、黒っぽいお目当ての商品をわしづかみにし、支払いをすませ、さっさと店を後にする。男性でも女性でも、店を利用することのある客のなかでも、こうした客が店に滞在する実時間が最も短い。その他のものを買うことなどまったく考えず、検討することすらしない。単に予備を補給するだけなのだ。酒屋でもスーパーマーケットでも同じだ——場所は関係ない。

女性客は、まったく異なる動物だ。

エンバイロセルは、ビールやアルコール業界大手の仕事を多く手がけてきた。そうした仕事のために、アルコールを販売するあらゆる類の小売店を回った。バーやレストランから、ワイナリーの試飲室まで。

前章で書いたように、マーケッターは酒類業界などにおいて、三つのキーファクターを利用して女性消費者にアピールしている。ライト、ブライト、ホワイトだ。この場合は、白ワイン、ライトビール、それから、明るく、きらきらしてカラフルなもの。こうした商品、特に白ワインの売上はこの何年かで急増している。

だが、考えてみると、こうした言葉はすべて、昔から女性が気にしていることや、じっくり考えていることに結びついているのではないか？　清潔さや体重のコントロールなども含めて。棚に陳列されている琥珀色のアルコールより、白ワインや、ついでに言えばジンやウォッカといったすっきりしたものを飲む方が、見境なく飲んだとしても太ることはないのではないか？　白ワインはすっきりしているだけでなく、一見、いろいろなものが入っているように見えないため、軽い飲料だという期待を抱かせる。これは、低カロリーだというシグナルを送るように女性の頭のなかに浸透していくのだ。赤ワインは「フルボディ」と表現されるものもあるように、女性にそっぽを向かれるようになりつつある。こちらは従来、濃い色のとろみのあるものか、にごった色をして、男性に受けてきた。今は、親父っぽいイメージや、過ぎ去った日々というイメージを払拭しようと四苦八苦している。思い返すと、スコッチやウイスキーにはアンティークの風合いさえあるではないか。

ある女性の友人は、友人たちがその晩に出かける前に集まって話しこんでいるのを耳にした。ワインを何杯飲む？　どれくらい食べてから行く？　残念なことだ。

多くの女性にとって、昔から人気のあるカクテルであるにもかかわらず、ラム・アンド・コークは、今日ではラム・アンド・ダイエットコークとなっているのではあるまいか。

この意見を一歩進めると、摂食障害に苦しむ多くの女性（男性もいるだろう）に関して、アルコール中毒と過食症との関連性ははっきりしている。その理由を理解するのはそれほど難しくない。そうした女性は、飲みたいものを飲み、食べたいものを食べる。アルコールを吸収し、食べたものや飲んだものを吐き、最悪の場合、同じことを最初から繰り返すのだ。

女性が求めるのは白ワインだけではない。食後酒売場でいつまでもうろうろしたり、目の前に並ぶ商品に迷っていたりする。新製品のバナナカクテル。新製品のコーヒーリキュール。ストロベリーなんとか。酒造メーカーは、女性消費者をひきつけるうまい方法を見つけ出した。試飲させて、新ブランドを味わってもらうことだ。笑みを浮かべた若者が、売り出し中の飲料を注いだ小さなカップを並べたトレイを持って立っているシーンがこれだ。二つ目の鍵は、女性は他の女性のために酒を買うということだ。であれば、店側はなぜ、酒売場にもっと気を配らないのだろう？

世界的な飲料メーカーであるディアジオ社の仕事を通して、エンバイロセルは、消費者が新しい飲み物を試す最初の機会は友人のグラスであることに気がついた。女性は男性よりも、一口味見したいという傾向が強いと思う。同社がヘネシー・マティーニを世界に売り出そうとしたころ、会社側は若い女性を雇い、ヘネシー・マティーニを乗せたトレイを持たせてあちこちの人気スポットに立たせた。そこで、どうぞ、と消費者に声をかけさせたのだ。今日、こうしたことは一種のトレンドになっている——販促のために酒造メーカーに店のスペースを貸すバーなどだ。ある晩はビールのベックスで、別の晩はスイカリキュール、その翌晩はアブサンだったり。ニューヨーク・シティにはネット上にサブカルチャーサイトがあり、タダで見境なく飲める場所を若者や喉を渇かせた人たちに教えてくれる。低賃金で働くマンハッタンの大酒飲みは、無料で飲める最新のカクテルを求めて、店から店へとふらふら渡り歩く。

女性がビールを飲むのはどこだろう？

長年のリサーチで発見したのは、男性がコンビニエンスストアに入って（コンビニエンスストアの利用客の六〇％は男性の一人客だ）、六缶入りビールが入った茶色の紙袋を抱えて出てきたら、この男性がビールを買ったのは自分のためだ。女性がコンビニエンスストアに入って十二缶入りのビールを持って店から出てきたら、ビールを買ったのはパーティがあるからだ。スーパーマーケットで家族のために何かを買うのと同じである。しかし、ビール業界は、この商品を女性客が買い求める飲み物とは位置づけてこなかった。ついでに、食事を囲んだ集まりに出される飲み物ともとらえてこなかった。ライムと高級葉巻でコロナビールを飲み、日焼けオイルをぬったくってバハ・ビーチで日光浴をしている人を登場させることを結びつけるのが、この業界の定番の宣伝方法だった。大人が集まって、メキシコ料理のディナーをにぎやかに食べているというシーンを見せることはなかったということだ。ビール業界はビールを男性の飲み物だととらえ続けている。これまで、ビールとはそういうものだったからだ。ワイン業界にはこうした問題はない。

私にとってはビールなしの食事――中華やタイ料理、さらに、その他スパイシーな料理なら何にせよ――など思いもよらない。

エンバイロセルが、ブラジルのブラーマの仕事を初めて請け負ったとき、われわれはスーパーマーケットのビール売場をもっと女性向きにすることに力を入れた。われわれがやったのは、看板やパッケージの取替えに尽きる。たいていは親しみがあって元気がいい乳搾りをする女性というイメージだったのを、家族が何かを祝うために集まっているイメージにしたのだ。ブラーマの売上は急増した。もう一度言うが、アメリカのビール業界は、コンセプトを強化するために最大限の時間を割いていないばかりか、余力でできる程度の時間すら割いていない。

ミラー・ライト――ここでも「ライト」が出てきた――は、低カロリーであることを考えれば、もともと女性をターゲットにした商品だ。同社は、女性客がブランドで商品を選ぶことを十分わかっていた。実際、女性は商品を家に持ち帰ったのである。一方、男性は商品に近寄りもしないことも発見した。結局、ミラーは宣伝を一工夫し、「味は最高、カロリー控えめ」にした。平たく言えば、味がいいだけでなく、男性の家族のげっぷが少なくなるということだ。事実かどうかはわからないが。

女性客をひきつけたいという狙いから、いくつかのワインメーカーは製品に貼るワインラベルまで変更した。この理由をネットの質問箱で聞いてみた人はいる？　しかし、これは少し的外れだと思う。私の経験則で言えば、ラベルを女性向きにするからといって、生産者はメアリー・ケイのイメージカラーのピンクを使わなければならないということではないからだ。ここで必要なのは、自問することだ。女性がワインを選ぶ基準は何か？　と。これは、ブドウの種類や生産地かもしれない。そのワインと最も相性のいい料理は何かということかもしれない。こうした大事な疑問に答えずに、生産者は女性に愛想をふりまいてしまったのだ。ワインラベルは、芸術プロジェクトのようになるべきではないと思う。私がアドバイスするとしたら、とても味のいいワインにすることから始め、興味を持った客に情報を提供するように考えるのが先だ。かわいらしく見せるのはその後だ。

10

アパレルとファッション

メーシーズと日本方式

私は郊外にあるメーシーズ・デパートの二階の踊り場を歩いている。キッチン用品と寝具用品の売場を通り抜ける。紳士服（バスローブにスーツ、キャメルのコート、防寒用パーカなどだ）を過ぎた。一見、一〇代向けの落書きのようなタグがついたスケボー用のウェアの隣だ。さらにその隣は、新学期用の弁当箱やリュックの売場。そこからベッドとバスルームの売場につながって、ランプや照明家具も近い。これが電化製品売場に変わり、そこから、なんてこった、どうしてかばん売場にいるんだ？

私が探しているのはシンプルなVネックのセーターなのに。セーターを見つけるのはそんなに難しいことなのか？

このデパートは、今でも地元のショッピングモールにほど近い場所にあり、ショッピングモールのサポートもしている。メインの駐車場が満車の場合は、追加の入口となり出口にもなるという二重の役割を果たすこともある。今でもあらゆる買物をすませられる目的地だ。その気があれば、女性はここで何時間でも過ごすことができる。ベルトから子どもの衣服、財布、ハンドバッグ、椅子やリクライニングチェア、パティオやアウトドア用品、読書灯にヘンケルの包丁、クイーンサイズのマットレスまで見てまわることができるからだ。一八六〇年代に初めてデパートが登場すると、消費者は、目をみはるほどずらりと並んだ商品やサービスに手が届くようになった。多くの消費者にとって、そうしたものはそれまで見たこともないか、あこがれでしかなかった。デパートは、豊かな暮らしとはどういうものかということを、じらすように見せつけた場所だったのだ――衣服や家具、寝室用品、おもちゃ、化粧品や香水。一九世紀のデパートは空想をかきたて、夢や野心、勤労、上昇志向を達成する唯一の足がかりだった。

そうしたものを見せつけられた客が失神した場合に備え、気付け薬を持った看護師がエスカレーターの上がり場に待機していたものだった。

一五〇年以上経ち、多くのデパートでは客の出足が悪くなった。デパートががらがらになってしまったのはなぜだろう？

別の疑問に答えることにしたい。昨今の女性の知り合いで、三時間も四時間も買物に費やす時間のある人はどれくらいいる？

メーシーズのアパレル売場では、売場の隅から隅までがばらばらに分割されていることを書かずにはいられない。ま、「領地」と呼んでおこう。ブランドを掲げた小王国だ。それぞれの区画に有名デザイナーの名前がつけられている。ラルフ・ローレン。トミーヒルフィガー。カルバン・クライン。リズクレイボーン。マイケル・コース。アメリカの今風のデパートは、日本のデパートによくある売場作りに移行しつつある。つまり、有名なファッションブランドに小売スペースを貸し出すというやり方だ。大文字でデザイナー名を書いたラベルと、例えば「スモールサイズの黒のドレスはこの売場です」とか「ハンドバッグはこちらです」というような看板との違いを考えてみよう。後の提案の方が支持されるはずだ。明快だし、的を射ているからだ。カルバン・クラインしか買わないわ、と胸を張って断言し、トミーヒルフィガーの製品については何も知らないという女性消費者など、ほぼいないと言ってよい。典型的な女性はわずか一人のデザイナーにさえ、親近感を持っていないのである。自分に似合って気に入る服を探しているだけであり、これ、というハンドバッグを見つけたいだけなのだ。

乳製品やスープ、クラッカーといった商品がスーパーに同じように並べられている場面を想像してほしい。頭上には、シールテスト、プロクター・アンド・ギャンブル、ペパリッジファームと書いた大きなポスターがはってある。消費者は頭をかきむしってしまうだろう。

疑問はまだ解決していない。デパートを三フロアも四フロアもさまよいながら、商品を念入りに選ぶ時間と体力のある女性はどれくらいいる？　特に、いつ目を覚ますかわからない赤ん坊を乗せたベビーカーをガタガタと押している母親だったら？

ノードストロームは高級衣料品に特化したデパートだが、女性衣料品売場の表記を見直すという先進的な取り組みをしている。頭上の看板には、どんなスタイルやモードなのか、どんなセンスなのかが書いてある。上を見上げて、マイケル・コースとかイッセイ・ミヤケといった文字を読む代わりに、「クラシック」や「カントリー」、「アーバン」といったサインが消費者を迎えるということだ。率直に言って、女性がこれを敵視するとは思わない。

これも覚えておかなくては。あこがれの店ということとは別に、一八六〇年代のデパートがターゲットにしていたのは、半日過ごすつもりでやって来るような中流家庭の女性だった。その当時に立ち戻れば、これほどの規模の店で買物することは一大事だった――つまり、特別なことだったのだ。女性たちは郊外から電車に乗ってやってきたのかもしれない。友人とランチを食べたり、お茶を飲んだりするつもりだったのかもしれない。いったん入ってしまえば、食事もできるし、髪を整えることもできた。午後の残りの時間で買物したり、ウィンドウショッピングをしたりして過ごすこともできた。そういう時代だったのだ。

がら空きになったデパート

今日、ケーブルテレビや映画、雑誌、インターネットにしても、デパートの地位に取って代わったとまではいえないが、そうした媒体は最新のスタイルやファッションを紹介する代替のスペースとなっている。

アバクロンビー&フィッチであろうと、アーバン・アウトフィッターズ、バナナ・リパブリックであろうと、専門店がデパートを打ち負かしたことは不思議ではない。時間が限られた現代の女性は、デパートで買物をする時間――そして、迷子になる時間――などないのだから。だから、デパートはがら空きになったのだ。

言うまでもなく、専門店は規模がかなり小さいし、絞り込んでもいる。だから、店に入って、さっさと出てくることができる。試着室もはるかにきれいだ。サービスはデパートほど丁寧であるとは言えないが、販売員はおおむね、ましな教育を受けているし、知識はあくまで豊富である。デパート販売員は必要に応じて売場に配置される――月曜日は寝具売場、火曜日はジーンズ、水曜日はミキサーとトースター。それ以上にいいのは、専門店は瞬時に自らを暴露するということだ。あからさまで、時には薄情なほどに、その客が店にふさわしいかどうかを思い知らせてくれる。比べて、デパートは、あらゆる年代のあらゆる人のための場所であろうとし、結局、どの世代の誰一人として満足させることができないのだ。

今日、デパートは縮小したり、合併したりしている。J・C・ペニーもコールズも拡大計画を縮小しつつある。メーシーズはブルーミングデールズのオーナーだが、営業経費を削減し、利益率を上げようと大規模な経営再編成をしているところだ。サックスやノードストローム、ニーマン・マーカスも、不況に苦しんでいる。企業としてのデパートは長年、売場を次々に縮小するよう迫られた。ファリーンズに入って寝室用のすてきなラグを見つけ、メーシーズで古いモノポリーを買い換えて、シアーズで乾燥機付き洗濯機を購入したという時代を覚えていないだろうか？ ベッド・バス・アンド・ビヨンドやトイザらスのようないわゆるカテゴリーキラーが、そうした売場や他のマーケットを追い払ってしまった。それに代わって、ウォルマートがあらゆる商品を扱い、さらに安く売るようになった。

二一世紀のデパートはどこに向かっているのだろう？ アメリカのマーケットに照らして言えば、デパートがなくなることはないだろうが、小さくなってはいくだろう。これは必ずしも規模の話ではない。数でもそうだ。一つの解決法、かつ展開のあり方は、ニューヨークのソーホーにある新しいブルーミングデールズだ。この店が、スポーツクラブ化したデパートだと自ら評しているのを聞いたことがある。無駄を省き、対象を今まで以上に絞り込んだわけだ。客に四フロアを行き来させて、一時間かそこらで店を後にさせることを狙ったのだ。この店は、シンプルだが巧みなやり方で、店内を区分けし直すやり方を取った。液晶テレビを四〇台並べ、ＭＰ３のサウンドシステムをたくさん陳列するようなやり方に変えて、それぞれ二、三台だけにしたのである。消費者に代わって、担当者が確立された基準に従って適切に判断することが前提で、そうしたモデルを扱っているのはその店だけ、つまり在庫限りとしたわけだ。

ソーホーのブルーミングデールズと同じように、専門店は買物客から、ある程度の選択権と決定権を奪った。多くの女性（と男性）は、これでほっとした。過ぎたるは及ばざるがごとし。専門店は、特定層に特化する余裕も持ち合わせている。大きいサイズの女性をターゲットにするのもいい。そうした女性は、自分のサイズに合うものを見つけるのが頭痛の種になったり、屈辱を味わったりしているからだ。妊婦におしゃれをさせるのでもいい。二〇代や一〇代、学生、予備校生、働き始めたばかりの女性を着飾らせることもできる。ブティックは、魂や情熱、使命すら持ち合わせているように見えることがある。バナナ・リパブリックにせよ、リミテッド、アーバン・アウトフィッターズなどにせよ、特にそうした店では、足を踏み入れてから三〇分程度で出てくることができる。

そうは言っても、一度は魔法が効いて成功したブティックが、次の瞬間転落する様には、好奇心がそそられる。チコズは女性の衣服とアクセサリーを扱う店だが、この典型例だ。チコズは長年、既存店の売上を伸ばしてきた。チコズをきわだたせた要因の一つは、独自のサイズ表を作ったことだ——1、2、3といった具合である。ここのアパレルのターゲットは中年女性で、上品で洗練されたデザインながら、あえてゆったり感を持たせていた。一時は大流行したほどだ。ところが、経営陣は一晩にして、新しいデザインチームを発足させた。このチームは、ぴったりしたサイズのものを求める女性向けの衣服をデザインするようになった。ずっとチコズのファンであった女性たちは、店のドアを通って入ってきて、店の新製品がもはや自分の体型に合ったものではないことを知ると、頭を振って店から出て行った。それきりやって来ることはなかった。かつて、熱心な女性客の基盤を苦労して作りあげたのに、その店の衣服が突如として自分に合わないか、問題のあるものとなったことを知ると、そうした顧客は離れてしまったのである。

GAPの試み

GAPも同じ問題を抱えていた。GAPの売りは、ずっとデニムのジーンズだった。これがアメリカ人の中年層に爆発的に売れた。だが、一九九〇年代後半になると、GAPはアメリカンイーグルに挑むことにし、若年層を取り込もうとした。小さめのレザーベストやかわいらしいアイテムがショーウィンドウに飾られるようになった。問題は、私のような中年男性が店に入って、ぶつぶつ文句を言うようになったことだ。「自分には合わない店になったな」回れ右して店を出て、二度と来なかった。

GAPは、時代遅れになりつつあった流行も正式に取り入れた。ユニセックス・ファッションである。ユニセックスのそもそもの根底は、ヘアサロンだ。ヘアサロンは、男性と女性が同じ場所で隣り合わせになって、理髪師やスタイリストに髪を切ってもらうことが認められた場所だ。髪を切るのは、男性でも女性でもよかった。次にユニセックスが飛び火したのは、GAPを先頭とした小売業界だった。男性であれ女性であれ、一〇代だろうが三〇代、四〇代、あるいはそれ以上であろうが、GAPに入ることができた。あらゆるサイズのブーツカットが詰め込まれた奥の棚に直行し、男女共用の試着室で試す。共用の試着室とは、〝M〟や〝F〟といった印や、ズボンかスカートをはいた人形など、どの試着室に入ればいいかを判断する鍵となる印でさえ扉についていない試着室のことだ。手に抱えるジーンズは自分も、妹も、弟もはけるものだった。それに、店に入るときに見かけた色とりどりのセーターを飾ったパワーディスプレイ——あれはメンズだろうか、それともレディースだろうか？　結局、赤と緑のストライプの入ったセーターが自分に似合うのであれば、そんなことはどうでもいいではないか？　かつてGAPを人気スポットにした要因の一つは、どことなく超越したアイデアだった。つまり、手に取ったセーターが自分によく似合うのと同じように、恋人にも似合うということだ。

ユニセックスの息の根を止めたものは何だろう？　それはなんといっても、ユニセックスそのものの特徴だ。男性は、まさに買おうとしていたセーターがレディースだと気がついた瞬間、面食らった。だが、ユニセックスの崩壊は、女性に負うところが大きいと思う。L、M、Sというサイズの話になると、女性も躊躇したからだ——男女共有の試着室にも。

バナナ・リパブリックがジェンダー別に店舗を分けることにしたのは、小売業界において重要な瞬間だった。このブランドが近年、GAPよりはるかに業績がよいのは、これがその理由の一つではないかと思っている。バナナ・リパブリックは、誰にでも、どのジェンダーにも合わせるという路線を取っていない。GAPについていえば、在庫管理はうまくいっているかもしれないが、この三年間、既存店の売上は大体二〇％落ちている。

もちろん、ユニセックスの精神は続いていくはずだ。店やショッピングモールにではなく、若い女の子や女性の生活のなかにおいて。青春期の女性にとってボクサーショーツや綿パジャマのパンツは、長年、寝るときや家でくつろぐときの定番になっている。と思いきや、これはよくある過渡期なのかもしれない。一時的で文字通り、男らしいものを試してみるという段階。多くの若い女性の初恋の相手が、ハンサムくんではなく、かわいい男のコであるのと同じようなものだ。私の恋人のワードローブには、男性用と言ってもいいようなアイテムが、少なくとも二、三着ある（白のボタンダウンのコットンシャツだとか、ネイビーブルーのスーツジャケットとか）。一方、私のクローゼットには、ほんの少しでも女性モノだと思わせるような衣服は一切ない。シェリルは、何週間かに一度は私の肌着の引き出しを探しまわるが、私が彼女の引き出しをさわったことはない。女性はいつだって、男性より自由に、自分のジェンダーの壁を蹴り破ってきた。その意味で、女性は恵まれている。

こうしたことから、当たり前の疑問を持つようになった（そうだ、これが頭に血を上らせるものの一つだ）。五〇歳以上の女性は人口の大部分を占め、自分で金を稼ぎ、使い道を決めている。彼女たちは、今日の世界の不労所得のほとんどを握っているのだ。ありのままの自分を受け入れる余裕があり、好きなものと必要なものをわかっていて、身分証明のようなロゴが胸についていなくてもかまわない。だが、小売業者に関する限り、五〇歳以上の女性——単刀直入に言うと、無視されてきた女性たち——は、現代の小売業からあしらわれ、無視され、ぼかして消されている。ファッション界を牛耳っているのはSサイズであって、Lサイズではない。業者はどうしてこれを理解しないのか？　なぜ、金の後についてまわらないのだろう？

いくつかのブランドは、年配者のマーケットが重要であることを理解している――ニューバランスはその一つだ。エクササイズやランニング、ウォーキングシューズのメーカーだ。女性の足は、年齢と共に変化する。ライカは、かかとが細くてつま先が幅広な足の女性向けのフィットネスシューズを製造している。また、同社はエイボンの「乳がん早期発見のための世界エイボンウォーク」といった女性のための取り組みにも連携している（ライカは、カーブスやレディフットロッカーとも組んで、ディスカウントを提供して女性の健康を促進している）。ジェフリーは、ニューヨーク・シティのミートパッキング地区で高所得者向けのファッションやフットウェアの店舗を展開しているが、大きなサイズを置いている数少ない小売店の一つでもある。ナイン・ウエストは女性が好む靴を作っているかもしれないが、最大サイズは二八センチだから、足のサイズがそれより大きいか、幅広であれば、選択肢が限られてしまう。だから、女性（と、なかには女性の服を好む男性も）はジェフリーに群がることになる。小売業が発展したあるとき、背が高くて大柄の女性向けのチェーン店が登場した。これも人気があった。もう、なくなってしまったが。私は、こうしたことをすべて、小売業者、特に下着メーカーに繰り返し指摘したのだが、四〇歳を超えた女性は年下の女性より店に金も時間も投下しながら、慎重にもなる。なぜだ？　そうした女性たちはファッションや、誰かに脱がせてもらうようなものとして下着を買うのではなく、はき心地がいいものを買うからだ。

五〇歳を超えた魅力的な女性はどこにいるだろうか？　ウエストがゴムになったジーンズや、シーズンごとにスウェットスーツをあてがわれてきた女性たち。私のかつての恋人は、そうしたスウェットを四〇着ほどは持っていた。

もう一つの関連する問題は、中年女性が着飾ったり、ラフな服装にしたりするのは、誰のためで、何のためだろうか？　ということ。五〇歳になれば、住んでいる場所にもよるが、年配の女性にはさまざまな衣服が必要になる。職場では、ほとんどの女性はピンストライプのキャリアウーマン風のスーツなどは着ない。きれいに仕立てたパンツとうまく縫製されたブラウス、その上に何かを羽織っている。ドレスを着て仕事をする女性は減っているし、ストッキングやタイツの消費量はかつてのごく一部にまで減っている。小売業者はこうしたことを頭に入れるべきだ。

ザラの強さの秘密

では、女性について、他のショップが知らず、ザラが知っていることは何だろうか？　ザラは、おそらくこの一五年で最も成功したレディースのファッション・チェーンだ。スペイン発のこのファッション・チェーンは世界四六カ国に六〇〇以上の店舗を構える。この一〇年、同社は地球上で最も成功したグローバルな小売企業である。社長はメディアに売り込む気などさらさらなく、フィナンシャル・アナリストとやりとりする必要も感じていなかった。

ザラは数度にわたって勝利を収めてきた。まず、同社が一仕事を終えるスピード――業界で「商品化のスピード」と呼ぶもの――はとても早い。月曜日にパリのファッションショーで発表されたものが、二週間後には店頭に並ぶ。ザラは商品を見て、まねて生産し、配送までしてしまうからだ。また、買物客には販売価格を受け入れるよう刷り込んでもいる。商品が気に入って、ぴったりだったら、そのときに買っておかなければいけない。なぜなら、同じ商品は二度と売り出されないし、翌週には店頭からなくなるからだ。ザラの工場のほとんどは中国やインドにはない。その多くは、スペイン北部にある本社から数キロのところにある。店舗と工場間の往復は行ったり来たりだから、コミュニケーションの問題も、バイヤーが時差ぼけで苦労するという問題も起きない。店舗への商品補充は、通常は数日だ。週単位や月単位ではない。つまり、もしMサイズのグリーンのブラウスが売り切れたら、ザラでは、在庫を見つけ、速やかに補充することができる。トミーヒルフィガーやカルバン・クラインといった他のブランドを思い浮かべれば、本社がニューヨークにあり、製造元――つまりその衣類が実際に生産されている場所――が中国やベトナムにあるとしたら、その強みは一目瞭然だ。洗練されていると思われたくても、デパートで扱っているような衣服には手が出ないような流行に敏感な女性にとって、ザラ（マンゴやH&Mと同じだ）は、ドラッグストアや食料品店で培われた変革に匹敵する自社ブランドあるいはショップブランドのアパレルなのである。

プライベートブランドの取り組みは、価格と顧客にとっての価値概念とのつながりに挑んでいる。プライベートブランドを買うのは、経済的な必要性や妥協からではない。消費者や女性誌は、品質にもセンスにも大きな違いはないことを指摘している。トレーダージョーズとその親会社であるアルディはプライベートブランドの店舗を作り、これが確実な固定客を生み出した。プライベートブランドの購入は、責任ある消費者とみなされつつある。小型で速度も出る高価な車を買うことができるのに、あえてプリウスに乗るようなものだ。

ザラについてイギリスの友人と話したら、鼻であしらわれてしまった。いわく、ザラが成功し、独占状態になっているのは、ビルバオやガルシアといったスペインの安い労働力を搾取しているからよ。このフランチャイズは、あっちからこっちまでの全部の女性をうまいこと食い物にしているんだから。ザラが売っている服は——こうしてアンチ・ザラの話が続く——縫製が雑で、デザインは別のデザインの盗作。そうしたものを論外の利益率で売っているのよ。いつか、しっぺ返しを受けるから。

その一方で——これは諸手《もろて》を挙げた称賛だ——ザラの従業員の九〇％は女性だから、少なくとも他のファッションブランドとは違う。ニューヨークでは、ファッションはいまだにガーメントビジネスである。つまり、男性のテーラーによる商売だということだ。従来、縫製業を営んでいれば、サックスの注文を受けて、工場に発注する。サックスは一ドルごとに一定の割合をバックし、しかも支払いもすぐにしてくれる。つまり、九〇日待たされる代わりに、即座に支払いを受けられたのだ。アメリカのファッション業界は、ファクタリングに頼りきっている。しかし、ザラはそうしたファッション業界の仕組みを受け入れた上で、逆転させた。女性の労働力のおかげだ。

これはうまくもいっている。ウォルマートとターゲットがアパレルの売上を落とす一方で、ザラは、ファッションショーのキャットウォークに登場するようなあらゆるファッションの廉価版を引っさげて進出しているのだ。似たような商品をお手ごろ価格で売っているということだ。そのブランド品を扱っているのと同じだ。つまり、かの商品はザラが製造したものだとしても、あくまでもそれはラガーフェルドやその手のブランドなのだ。提供するデザインは、無尽蔵にある。

ヨーロッパのあちこちでは、ブラジルも確実に同じだが、若い女性の多くは二七、八歳くらいまで両親と一緒に住む。そうした女性には可処分所得があるため、家賃や光熱費に支出する代わりに消費財にお金を使う。わが社のマンハッタンオフィスでは、机のある三〇人の従業員のうち、両親と住んでいる人は皆無と言ってよい。エンバイロセルがミラノにオフィスを設けたとき、私が会った四〇歳の受付嬢は当時、両親と同居していた。彼女は家賃を払っていなかったし、食事も作ってもらっていた。会社が彼女に支払う全額を、この女性は交際費や洋服や車につぎ込んでいたわけだ。日本人は、両親と同居するこのようなアダルトチルドレンに名前をつけている。「パラサイト・シングル」。典型的なアメリカの都市では、大学を卒業したばかりの若者は、給与の半分以上を家賃に充てなければならないこともある。そのため、娯楽に費やす余裕はほとんどないし、高級ファッションなど論外だ。アメリカでは、世界の他の地域よりもはるかに早い段階で、子どもたちを一人前にし、有無を言わせず家から追い出すのである。

女性はささやかなことに没頭する

友人のウェンディ・リーブマンはWSLストラテジック・リテイルでCEOを務め、世界的な流行を見抜いて小売戦略を立てている。彼女のコンサルティング専門会社が力を入れているのは、消費者を店舗に向かわせ、バイヤーの目をブランドに向けさせることだ。また、毎月、『トレンズ・フロム・ジ・エッジ』というニュースレターを発行し、『アメリカにおける消費傾向』というタイトルで、買物客に関するリサーチを継続的に行っている。このリサーチは、台頭するショッピング・トレンドや仮説、見解を網羅している。

「現在、アメリカ人女性から買物について聞かされることは何?」と、ウェンディに聞いた。

「女性――男性もだけど――は、小売業者に何を期待しているのか、もっとはっきりわかっていると思うわ」と、ウェンディ。「でも、小売業者の側はイマイチそれが分っていないのね。消費者が今も求めているのは、価値があって、値段も手ごろな便利なもの。でも、今日の価値というのは価格以上に重要なの。つまり、よき市民であり、コミュニティに参加することであり、ささやかなことをコントロールするために市民に手を貸すということね。大きなことをコントロールするのは無理だから」

「いつも言っているんだけど、小売は社会変革のリトマス紙なのよ。環境保護運動は政治的な問題から道徳的な問題に変わったでしょ」

「小売がリトマス紙であることには全面的に賛成するわ。ショッピングは、私たちの行動の核心部分だから。いかに楽しむか、どこで友達と会うか、自分たちのコミュニティとはどういうものか、ということにおいてもね」

女性がささやかなことに没頭するという話題に関連して、注目に値するマニキュアとペディキュアの新しいコンセプトショップを取り上げておこう。典型的なマニキュアショップは、混雑して、照明も暗くて工場みたいな場所だ。接客は、マスクをつけた移民の女性が一人で行うことがほとんどで、女性客の反対側に座ってせっせと手足を剃ったり、毛抜きで抜いたりしている。お客からすれば、とてもリラックスしがたい。なぜなら、使われている道具がどれくらい清潔なのか、まったくわからないから。これに代わるのはデイ・スパだ。スパには予約が必要で、普通は、料金も倍はかかる。

私は、人生で一度だけマニキュアを塗ってみたことがある。ショップのオーナーにツメを短すぎるほどに切られ、痛い思いをした。この業界について調べてみるまで、菌類に関わる問題がどれほど起きているのか、ツメによる感染がどれほど多いのか、意識していなかった。サロンが道具を適切に消毒しなければ、客は水虫やいぼ、イースト菌感染症になる可能性がある。とはいえ、病院と同じように消毒したとしても、バクテリアやイースト菌、C型肝炎ウイルスを排除することはできないのだが。ネイルサロンの多くは、ツメやすりやせっけんを一度以上使わないこと、といった政府の安全基準を守っていない。それは、コストの問題だったり、教育が行き届いていないためだ。ゾッとする。皮膚科医のなかには、自分が使っている道具をサロンに持っていくよう勧める人もいるくらいだ。だが、そう考えたがる人はいないだろう?

ミニラグゼは地元のネイルサロン兼ケアサロンで、ボストンに二店舗を構えている。この店にはつくづく感心させられた。いずれは全国展開してほしいものだ。落ち着いた雰囲気もさることながら、最初に気がつくのは、潔癖と言ってもいいほどに店内が清潔であることだ。ミニラグゼは、きれいイコール消毒ではないことをよくわかっているが、消毒されているべきであることも承知している。施術をするたびに、すべての道具がオートクレーブで消毒される。熱と蒸気で加圧する大型の道具だ。歯医者や外科医も道具を消毒する際にこれを使う。その後、消毒済みの道具は個別の殺菌パックに入れられ、密封される。ミニラグゼは妊婦のために特別のツメ磨きサービスも行っている。組織生成や代謝を妨げるホルムアルデヒドやトルエン、フタル酸ジブチルなどを使わないサービスだ。こうして、清潔さを伝えるこぢんまりとしたスペースで、女性はゆったり座って、リラックスし、本来の目的を堪能するわけだ。

11

ショッピングモールにいらっしゃい

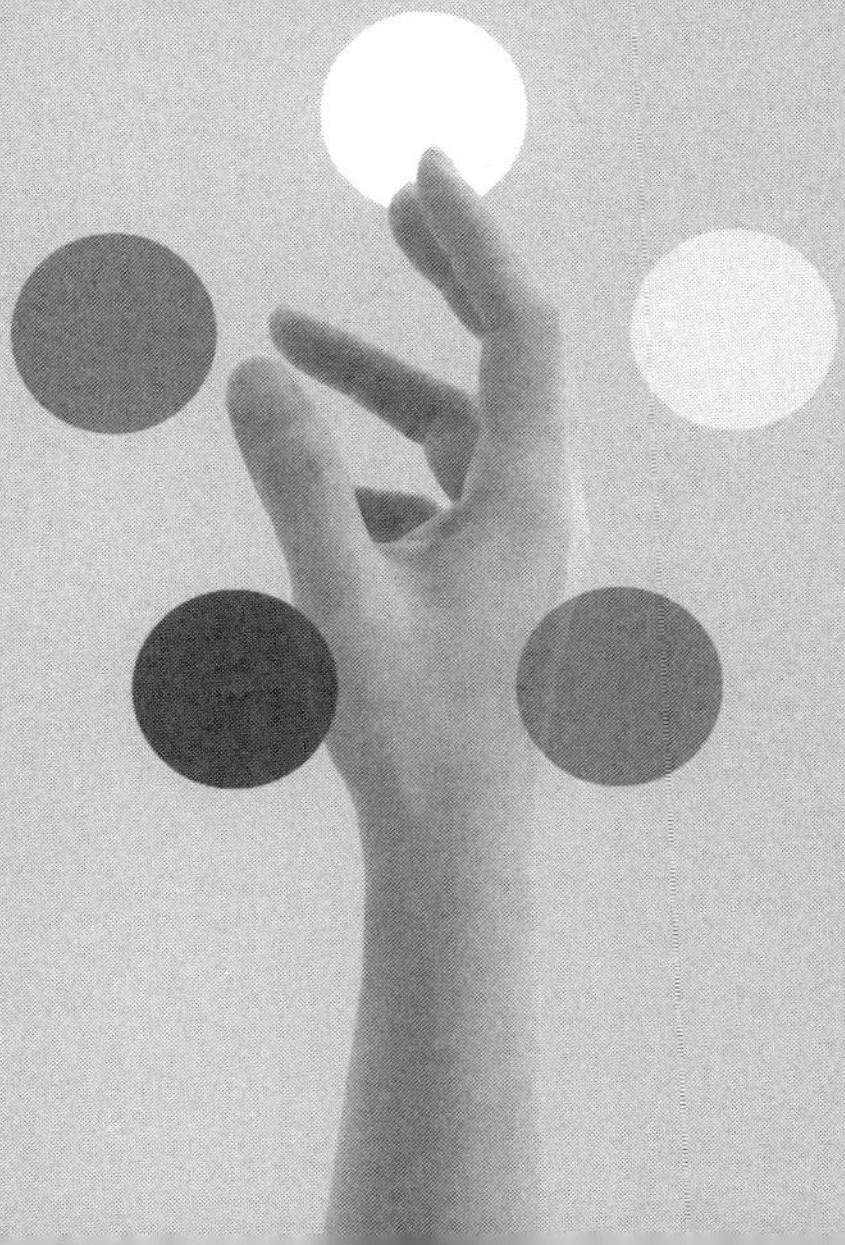

安全な逃げ場としてのモール

私は今、ロサンゼルスにあるザ・グローブというショッピングモールにいる。ここでは、女性消費者が中心となって引っ張る未来のショッピングモールを垣間見ることができる。現代女性のための完璧な提案だ。

では、このショッピングモールを差別化するものは何だろうか？　私の目の前にあるこの店は、どこにでもある店とさして変わらない。ＧＡＰキッズはＧＡＰキッズだし、どこを取ってみてもそれは同じだ。確かに高級店舗は入っている。Ｊクルー、ノードストローム、マイケル・コースがテナントとして入っているし、ノードストロームにはステラマッカートニーがブティックを構えている。だが、全体としてみれば、ここはショッピングモールだ。

重要な点は、不景気の最前線にあるにもかかわらず、ここはものすごい人出だということ。なぜだろう?

ザ・グローブを魅力的な場所にし、他とは違う独特なものとし、活気があって、革新的とさえ思わせているのは、ここが都会を感じさせるからだ――むしろ、理想的な都会と言った方がいいかもしれない。まったく安全な環境で、さまざまな民族が交じり合い、交流することができる場所。いいだろうか、ロサンゼルスに人と出会う場所というものは、実際のところ存在しない。プライバシーを保てる愛車のなかにいて、クラクションを鳴らしあうことはできるが、そこまでだ。だが、この場所ではいろんな人を見かけることができる。あそこにはおしゃれなイラン人一家。ヒップホッパーのカップルはあっち。向こうには、いい大学を出て郊外に住む夫婦と子ども二人がいる。同時に、このショッピングモールは安全だし、守られていることを実感できる。

ザ・グローブの特徴は、芝生だ。転がりまわることも、座ることもできる本物の草だ。ファーマーズ・マーケットが一カ所に集められており、買物客は地元産のフルーツや野菜、チーズ、肉を夕食用に買うことができる。公共交通網まで揃っている――路面電車に乗ることもできる!

七歳の子どもにとって、ワクワクする魅力ではないか。交通渋滞したロサンゼルスでは電車に乗るチャンスがなかった私も、子どもの一人だ。

ここで疑問が浮かぶ。現代女性がショッピングモールに求めるものは、本当のところ、一体何だろうか? 答え。家族のいる二一世紀の女性が求めるものは、安全な逃げ場所。女性を満足させる要素として、他の人を見るということもある。理想を言えば、ショッピングモールは空《そら》と何らかの関わりを持っている方がいい。外や上に視界が広がっていれば、女性が買物をしたり、歩き回ったりしても、屋内だけにとどまることにはならないからだ。中流階級は両親の共働きが普通で、家族が一緒に過ごす時間は今日、かつてないほどに重要になっている。ショッピングモールに来ると、家族はより家族らしくなり、他の家族を見て、自分たちを振り返ることもあるかもしれない。自分たちのアイデンティティが作られると言ってもいいかもしれない。ショッピングモールは、子どもたちが大事な教訓を教えられる場所でもある。「『ありがとう』は？」、「知らない人に声をかけちゃダメよ」、「道を横切っちゃだめ」、「店のものには触らないで。壊したら、買わなきゃいけなくなるからね」。小さな子どもを抱えた母親にとって、この場所は、他のママ友に会い、情報交換する目的地でもある。初めて子どもを産んだ母親というものは、孤立することもあるから。

それ以外にザ・グローブを気に入っている理由は、ここにいても、必ずしもお金を使うことにはならないからだ。敷地を歩き回り、電車に乗って、ディキシーランド・バンドに耳を傾け、ホットドッグを食べても、九五％の時間はポケットから財布を出していない。だから、人がよくやるように、「ショッピングモールは、もう死に絶えているんじゃないの？」と聞かれれば、私はいつもはっきりこう答える。「全然」。死に絶えたショッピングモールがないということではない。ショッピングモールの成否を判断する基準が、人出をどの程度維持できているか、そもそも、わざわざここにやってこようとする女性に何を提供できるかということだ――まだお分かりでないなら、アメリカのショッピングモールの客の六〇%は女性だと言っておく。

今日の多忙な女性にとって、ショッピングモールは、それ自体が何でもありの場所にならなければならなかった。ザ・グローブが理解していたのは、この点だ。他のショッピングモールの運営会社がこれを理解するのはいつのことだろう?

この二年間で、アメリカで新しく建設された、すべての用事が一カ所ですむようなショッピングモールは一〇に満たないが、建設業者は先を争って既存店を増床し、移転させている。忘れてならないのは、二世代のアメリカ人がショッピングモールで成長してきたということだ。そこは、テレビでしか知ることがなかった世界を初めて目にした場所であり、初めてお金を使った場所であり、同じ学校に通っていたり、近所の人だったり、同じ教会の信者ではない人たちと初めて出会う場所でもあったのだ。ショッピングモールは、文化的DNAの一部になっているのである。

かつてと異なる点は、昨今のショッピングモールに出かけて、何をするのかということだ。国際ショッピングセンター協会は、ショッピングモールに行く人が少なくなり、滞在時間が短くなり、立ち寄る店舗数も減ったとはっきり言っている。これは、景気が低迷する以前からそうだともしている。つまり、ショッピングモールに行かなくなったわけではない——選んで行くようになったということだ。忙しくて疲れきって、時間とお金を節約しようとホームセンターに入り込む人は誰であれ、後でショッピングモールに出直す手間を省いているのである。問題はあるかって? あまりにもさまざまな業界の店がショッピングモールを見限ったこと。家電、スポーツ用品、おもちゃ、文具、書店のすべてが、安くて独立した不動産を求めて出て行った。アメリカのショッピングモールの多くは、必要のない衣服やギフト、カードのような装飾品を手にした人や、雑貨屋、チベットの石像やトーマス・キンケードの絵だけを集めた店ばかりになってしまった。ショッピングモールには行きたいが、行く必要はなくなったということだ。ショッピングモールとは、家から脱出し、人間観察をして、友達と会って、食事をして、気晴らしをして、おそらくちょっとだけ買物をする場として利用されるようになったのだ。

今日、開発業者は老朽化した不動産を改装しようとしている。北米にあるショッピングモールの多くは、建てられてから二〇年以上が経った。こうしたモールは突貫工事で建てられたため、開店当初は非常に見苦しいものばかりだった。天窓や泉を付け足して助けにはなっているが、改装として行われているのは、ワンフロアの駐車場を、複数階層の駐車場にしたり、店舗、複合事務所、ホテル、住宅などに転換することばかりだ。

いくつかのテーマが声高に挙げられている。特に、女性消費者向けに。ザ・グローブの教訓は第一に、現代のショッピングモールは、今以上に包括的な対策を提案する必要があるということだ。先でも少し触れたが、ショッピングモールを、女性が鍵を作り、靴を修理し、飛行機のチケットを発券してもらい、クリーニングを引き取って、さらにその晩の夕飯を買う場所に昇格させる必要がある。シドニー郊外ボンダイにあるウェストフィールドショッピングモールでは、買物客が、デイケアセンターやスポーツクラブ、診療所、ベビーカーを押すママのための駐車スペースが完備されたこのショッピングモールに、ふらりとやってくる。これに隣接して、複合住宅が建てられている。こうして、このショッピングモールは便利な上に、時間を節約でき、日常生活を紡ぐ要素を取り込んだ場所にもなっているのだ。さらに、寝室用のスリッパをはいたまま出かけられる場所でもある。そうしたければの話だが。ショッピングモールが是が非でも求めるのは、密度である。つまり、人でいっぱいになるということだ。従来、出入口が一つしかなかったトレーダージョーズやウォルグリーンのような店舗をどのように受け入れ、ショッピングモールのコンコースにつながるドアを追加するにはどうすればよいかを解決したショッピングモールは、どのショッピングモールよりも先んずるものとなるはずだ。ショッピングモールにターゲットがあれば、アメリカでは大したことだ。では、なぜ、ショッピングモールにはホールフーズがないのだろう？　単に都心のショッピングモールについてだけ言っているのではなく、アメリカ北東部や南西部の郊外にあるショッピングモールについてもだ。食料品や食品雑貨、薬局なども取り入れれば、ショッピングモールはもっと中心的な場所になる――そして、女性消費者が長時間滞在するようにもなる。小走りで家に帰ってスーパーに出かけ、翌朝までに上司に提出しなければならない報告書を書き終え、子どもを学校に迎えに行く前に地元の図書館に本を返却するといったことに気を配る必要がなければ。

重要な点は、ターゲットやホールフーズ、ニーマン・マーカスは違和感なく――むしろ、諸手を挙げて――一つ屋根の下に共存することができるということだ。

さらに、ショッピングモールは八方美人になろうとするべきではない。これも、民族についてだけ言っているのではない。若い世代の家族をターゲットにしたり、一〇代を対象にしたり、これは日本で見かけたのだが、高齢者向けの古きよき商店街を作るのは時宜を得たいいアイデアだ。二一世紀に成功するショッピングモールとは、地主ではなく空間クリエイターが運営するものであるべきだ。ザ・グローブはこれをよく理解したからこそ、ディキシーランド・バンドや電車、芝生などを取り入れた。空間クリエイターは進歩的なデザインを採用し、積極的な運営を行って、その場が持つ魅力を増大させている。また、ただ座ってテナント料を回収するだけではなく、その他にも収入となるものがあることにも気づいている。ショッピングモールに設置した看板やテレビの広告収入であったり、スポンサーをつけたりイベントを行った収入、あるいは、駐車スペースを利用してファーマーズ・マーケットに集客するといったシンプルなものでもいいし、はたまた、南アフリカのメンリンパークのように駐車場の屋上にドライブインを設けたりすることも考えられる。

五〇代以上の消費者が求めるもの

思い出してほしいのだが、北米の可処分所得の六〇%以上は、五〇歳を超えた人びとが握っている。こうした人びとのほとんどには、必要なものはあまりない。シャツやネクタイ、靴、宝石など、残りの人生で必要なものはすでに持っているからだ。彼らが毎週必要とするものは、果物や野菜、パスタ、肉、魚であり、靴下と下着は毎年買い換えなくてはならないが——その他ののはすべて、「任意の」範疇に収まる。五〇歳を超えたら、一般的に生活規模を小さくする。子どもの独立と両親の高齢化に合わせるからだ。そして、残りの三分の一の人生をどう過ごすかを決める。課題は、こうした人びとに何を売るかではなく、彼らを経由して、大事にされている人びとに何を売るか、だ。ソニーやトイザらスは、プレイステーション3やＷｉｉをどうやっておばあちゃんに売りつけるのか？

核家族が支配する時代は終わりを告げた。高齢化や離婚、一般的な人間関係に対する姿勢が変化したおかげで、今日のアメリカ人世帯の構成員は大きくばらつくようになった。マンハッタン島の平均的な一家は、今や二人以下だ。『チャーリー・シーンのハーパー★ボーイズ』や『セックス・アンド・ザ・シティ』の再放送が、『わが家は11人』や『ビーバーちゃん』に取って代わったのも不思議ではない。

繰り返すが、この文化が最も大きく変わったのは、ジェンダー革命があったからだ。女性が家を買い、男性が台所を仕切るようになると、商売人が直面する課題は、誰に何を売るかということになった。アドバイスはないかって？　トレンドに乗って売ること。つまり、レイチェル・レイは女性向けの調理器具シリーズを売り、ジョージ・フォアマンは男を対象にした台所用品を売っている。そして、美容業界はあらゆる年齢の男女にスキンケアを売り込んでいるではないか。

今日の家主が負担する住宅費は、六〇年代や七〇年代に比べてはるかに高くなっている。それに、金の使い道も変わりつつある。家賃、住宅ローンの支払い、携帯電話料金、ポケットベルやパソコン、プリンターといった私的な電子機器は、食費や衣服のための出費を逼迫させている。ブラックベリーやｉＰｏｄ、携帯電話は単なるテクノロジーではなく、ファッションアイテムでもある。

われわれはある朝目覚めて、腹が出すぎていたり、家が広すぎたり、車が大きすぎるといったことに気がつく。買いすぎと借金のしすぎ、経済的な苦境のおかげで、自分たちの慢心に気がつくのだ。チェーン店が拡大するのに伴って、さまざまな商品を扱うようになり、供給業者はその店舗の配送システムに適合するものに限られるようになった。ウォルマートやターゲット、Ｊ・Ｃ・ペニー、シアーズは、小規模メーカーから仕入れることができなくなった。バイヤーはあまりにもたくさんある棚を埋めることに時間を取られ、その結果、目をつぶっても問題ないほど同じものが並ぶようになった。店側にとっても、どこに何が売れたのかを把握するのは、次第に難しくなった。特に、販売網がフロリダキーズからスポーケンまで広がってからは、なおさらだ。

小売業は都心へ移転せよ

小売業は住宅トレンドに追随するべきだ。この業界の選択肢として、都心への移転がある。二ユーヨーク・シティとシカゴは人口が増加し、不動産価格も好調になった。われわれの街はきれいで安全になったし、地価も上がっている。都心部の小売業は新たな回復の兆しが見え始めている。マンハッタンには、数年前にホーム・デポが初めてできたし、地方で好調なベスト・バイは二三丁目通りとシックスス・アベニューの交差点にある。では、なぜ、アメリカの多くの都市では五時を過ぎると、通りから人影が消えてしまうのだろうか？　それは、住宅がないからだ。都心部を復興させる鍵は、複合住宅を建て、思い切って引っ越してくるように人びとを説得することだ。流行に敏感な人と芸術家が現れれば、小売業とお金がついてくる。しばらくすれば、もとから住んでいた住民は、リフォームされた市内の空き家に引っ越していくだろう。ニューヨークはもう、カルチャーにしばりをかけてはいない。好調なアートコミュニティを受け入れるには、まず、手ごろな住宅を用意する必要がある。そうした住宅はマンハッタン島にはもうなくなっているが、テキサス州オースティンはうまく対応している。ニューメキシコ州サンタフェも同様だ。サンフランシスコも然り。

インターネットの影響は売上増加だけではない。直接販売の手段としても顧客の足を店に運ばせているし、販売促進と情報提供に役立つマーケティングツールとしても機能している。われわれはショッピングモールや都心で、売店やスーパーのカートを改善した実績がある。ロサンゼルスの繁華街からグランド・セントラル駅、パラマスパーク・ショッピングモールに至るまで、ターゲットでは扱っていないような逸品を小規模業者が売っているのを目にしている。流行の雑誌は何かと言えば、ショッピング雑誌だ。ハウスデコレーションへの興味が今ほど高まったことはない。電球よりもろうそくにお金を使っているくらいなのだから。

ザ・グローブはショッピングモールの将来の姿だ——安全で多文化な環境にいることとはどういうことなのかを見せつけているから。このショッピングモールは劇場であり、想像上の空間であり、ファンタジーなのである。多くの女性がショッピングモールを「がっかり」と表現するのはなぜだろう？　実際にそうではないか。同じチェーン店。同じ空模様。外に向いた窓は一つもない。結局、背景がないのだ。客は、メーコンかジョージア、スポーケン、ワシントンのどこにいても、おそらく同じだ。イライラしながら帰宅するのも、不思議ではない。

ドバイのモールとイトーヨーカドーの駐輪場

今日、他のショッピングモールの革新や進化について考えると、世界のあちこちで泡のように登場しているさまが思い浮かぶ。ドバイにはイブン・バットゥータ、つまりイスラムのマルコ・ポーロにちなんだショッピングモールがある。彼は冒険者として、イスラム世界で正当に称賛されている人物だ。ショッピングモールの各売場は、彼のさまざまな旅をテーマにしており、アンダルシアの庭、ペルシアの庭、シルクロードの庭などがある。イブン・バットゥータ・ショッピングモールは、それぞれでモロッコやトルコ、スペインの雰囲気を再現しようとしている。だが、場所にそぐわない部分もある。ペルシア・ウイングの中央の庭に、スターバックスがあったりするから。

故郷に近いところでも、革新的な場所は存在する。ラスベガスにはファッションショーがある。このショッピングモールには、滑走路と光り輝く大量の光でデザインされた中央コンコースがある（原宿でまったく同じものを目にしたっけ）。もとに戻るが、ザ・ベネチアン・ラスベガスに行って、作り物の天井と空を見上げたことがある？　気に入らなくてもいいんだ。でも、経験しておくのは悪くない――こうした違う場所に出かけられるのは、かなりの楽しみだ。信頼できる仕事をして、再現している人がいるのだから。ここで指摘されている点は重要だ。公共の場所という概念が、正真正銘のショーと調和していること。ショッピングモールはあまりにも見苦しいコンクリートでできたハコもので、内側は最低限にしか手をかけていない。その一方、勢いのある新規の商業施設開発業者は、テーマパークをコンセプトとして取り入れ、最大限に活用している。

現代的なショッピングモールにおいて私のお気に入りが何か、知っている？　非常に優れた駐車場のマークだ。先日、東京のとあるイトーヨーカドーを訪ねた。私をとりこにしたのは、動物をあしらった駐輪場のマークだ。これからは場所を区別するのに、熊や狼やキリンを使うことにしよう。別のショッピングモールでは、店独自の駐車場スタッフが配置されていた。黒のズボンに白いシャツ、ベストと中折れ帽を身につけた男性たち。ディック・トレーシーの映画から抜け出てきたような格好だ。彼らは日本の制服を採用して、おしゃれでかっこいいものに作り変えたのだ。

日本のショッピングモールの周囲にある東京都心の店舗案内は双方向的だ。つまり、動きがなくて、理解するのが難しい地図に向き合うのではなく、ボタンを押せば、現在の居場所を教えてくれるというシロモノだ。一般的に言って、３Ｄマップで確認できれば、女性の方が容易に自分の行くべき方向を正しく見極める。東京の地下鉄では、驚異的なアイデアで一人の主婦がある地図を思いついた。各駅が図で表示され、各車両には降りる駅の出口にあわせて、どの車両に乗るべきかが表示されているというものだ。行き先によって区分けもされている。つまり、日比谷駅で降りてエルメスに行くのなら、六番目の車両に乗るのが一番いい。想像できるだろうが、この機能はママや年配の女性にとても好評だ。

世界中のショッピングモールへ二つのアドバイス

なぜ、女性にやさしい小売革命が世界の他の地域で起こっているのか、という疑問を持たれるかもしれない。オーストラリアでは「何でもそろうショッピングモール」が人気なのに、なぜ、アメリカでは見向きもされないのだろう？

それは、広大で人口の少ないオーストラリアのような密集していない国にとって、密集していること――とすべてが一つ屋根の下で揃ってしまうこと――は、消費者にとって魅力的で、引きつけられるものだから。

日本の場合、日本のファッション文化――と日本のショッピングモール――を牽引する要素の一つは、若い女性が二〇代、時には三〇代初めまで、実家で生活することだ。家賃も食費も払う必要がないため、若い日本人女性は外見を整えるために給料をつぎ込むことができる。日本のファッションを引っ張る二つ目の要素は、公共交通機関が安全であること。東京の女子高生が二四キロ離れた最先端をいくファッションの街に通うのは、簡単なことだ。だがアメリカであれば、一三、四歳の少女がウェストチェスター高校から、安全かつ何の心配もなく電車に乗って、マンハッタンのグリニッチ・ビレッジまででかけることが、どうして可能になるだろうか？　どれくらいの保護者がこれを許可するだろうか。日本の地下鉄で、私は九歳の子ども二人が自分たちだけで通学しているのを見かけたことがある。アメリカなら、児童虐待になりかねない。

同様に、ザ・グローブの警備員つき駐車場に向かうときは、オランダのあちこちにある女性にやさしい駐車場を思い出す。アメリカのように白線が並行して引かれているのではなく、設計者は女性に手厚い駐車スペースを考え出していた。それは、長方形の箱のようなものだ。おそらく生物学的な理由から、オランダ人の設計者は、女性は自分――と小さな愛車――を何かの上に停めるほうが、二本のラインの間に停めるよりも気分がよいことを発見したのだろう。男性の場合、その生態（と、ターゲットを狙って、それに当てることに喜びを感じる）ゆえに、ターゲットの間に車を誘導する方が楽にこなせる。

この考え方は、わが国にも早々にやって来るだろうか？　これは革命の始まりにはならないのだろうか？

しかし、革命が起きるまでに、世界中のショッピングモールに向けて、二つばかりアドバイスをしてもいいだろうか。一つは、きれいな試着室を設けること。一〇年ほど前、週末を使って、ニュージャージー州パラマスにあるガーデン・ステート・プラザの試着室を回ってみたことがある。これにはニューヨーク・タイムズ紙のコラムニストとして有名なペネロペ・グリーンもついてきた。試着室の一つで、乾燥したフライドポテトと丸められたクリネックスを見つけた。別の試着室では、シャツにたたみこまれた厚紙のくずや、おそらく三〇本はあろうかというピンを発見した。あれから一〇年経ったが、一般的に言って、試着室はあまり変わっていない。

私が気に入っている試着室の一つは、わが社からワンブロック先にあるケイト・スペードのショップにある。この試着室は、ペンギン・ブックスの古典作品のカバーで埋め尽くされている――E・M・フォスターの『インドへの道』やヘミングウェイの『武器よさらば』などだ。一冊一冊が、ケイト・スペードのバッグが象徴するスタイルを髣髴《ほうふつ》とさせる時代がかった味を出している。コンセプトとしてはチャーミングだし、知的でもある。だが、その意味を理解するのは二五人の客のうち一人くらいだろう。このショップのある女性従業員も理解していなかった。私が理解したのは、おそらく、一九七〇年代にヴァッサー・カレッジで英文学を専攻していた頃、あまりにたくさんの上級コースを履修したおかげだろう。

そう言いながら、私は頭のなかで、許容可能な女性試着室のリストを作ってみた。（ア）実物をよく見せる照明（例えば、明るくしすぎないこと）で、試着している女性が調整できること。（イ）十分な広さがあること。女性本人が何方向かから自分の姿を確認できる程度の広さがあって、必要に応じてベビーカーをとめておけること。（ウ）それ以上に、きれいであること。

二つ目のアドバイスは何かって？　あらゆる種類の店は、妻や恋人、妹、娘が買物をしている間、男という種が座って待つことができる場所を必要としていることを認識するべきだ。結局、何着も試しては、棚に返すという行為には、えらく時間がかかるものだから。だから、ベンチ、つまり私が「木製の椅子」と呼ぶところのものを置くことを提案する。試着室の外に連れの男性が座って待っていられるところであり、男性が何かしていられるところということだ――新聞や『ニューズウィーク』、『スポーツ・イラストレーテッド』のページをパラパラめくったり、いじったりできる場所。あるいは、フライ・フィッシング専門のケーブルテレビがあるところ――このアイデアは、いつでも大歓迎だ。男性は次第に忍耐をなくしていく。ちぇっ。いねむりしちゃおうかな！　男性が楽しく時間をつぶし、面倒を見てもらっていることがわかれば、女性もその分長く買物をしていられる。その方がいいではないか。

ロンドンにあるマークス＆スペンサーは、イギリス国内のいくつかの店舗にラウンジのような待ち合わせ場所を設けて、この問題を解決した。男というものは、天国に行ったかのように感じることが好きだ。ビロード張りの長いすにもたれ、ビデオを再生したり、テレビでサッカーを見たり、スナックをむしゃむしゃ食べたり、ドリンクをオーダーすることもできる。小さなショップだと、そうした整ったスペースを設けるには、フロアや予算が足りないかもしれないが、頭と常識を働かせれば、売上を伸ばす別の対策を考え出すことができるはずだ。男性向けの雑誌を置いておくとか。

そして、女性が買物を終えるころには、店側も、男性が半分まで読み終えた『GQ』や『アウトドア・ライフ』のような雑誌を売りつける方法を考えつくかもしれないではないか。

12

安全な農と食

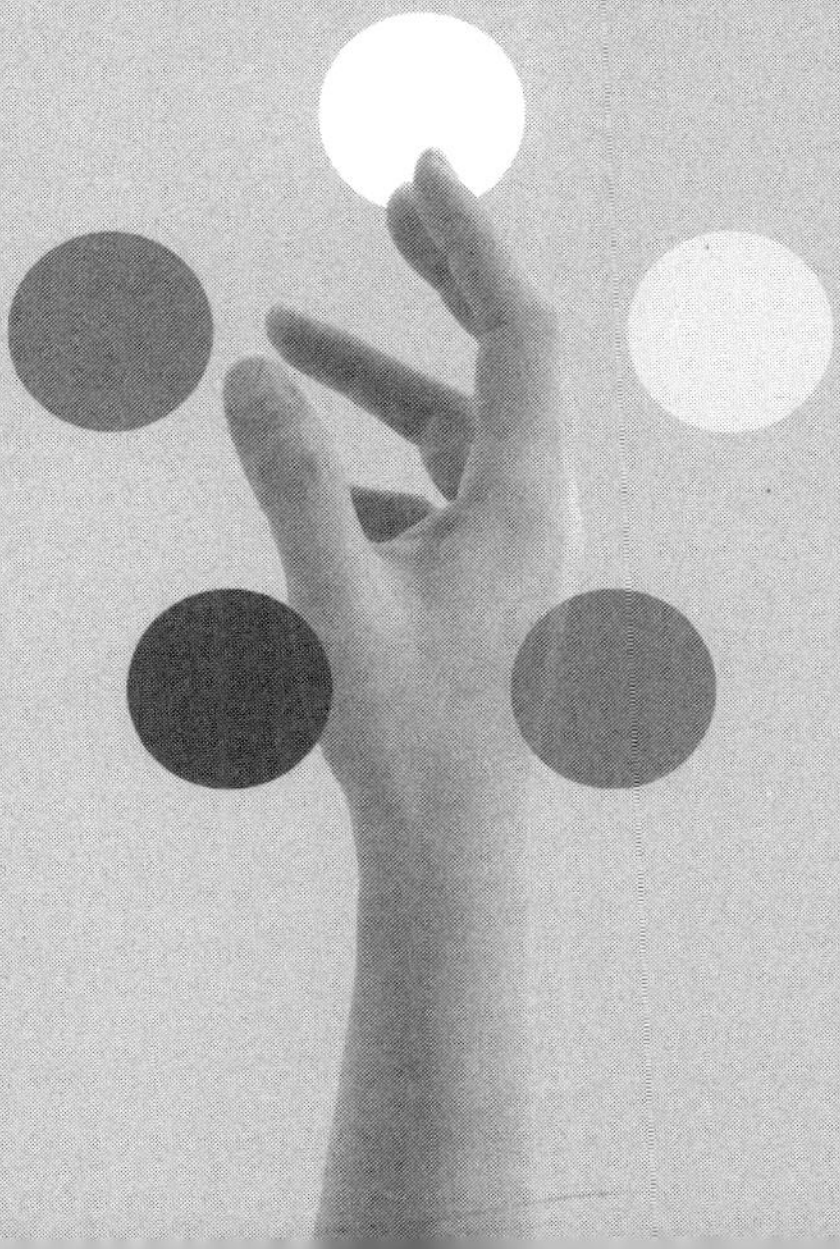

ファーマーズ・マーケットの盛況

土曜の朝九時。今、混雑したマンハッタンの通りに沿った小さな一角に立っている。アビンドン・スクエアだ——地元のファーマーズ・マーケットが開かれる場所。街にいれば、ほぼ毎週土曜はここにやって来る。

私が通うマーケットは大きくはない——せいぜい六、七の店が立つくらい——だが、私はここに店を出す農家を知っているし、彼らも、私のことも、私の好みも知っている。いつもおしゃべりを楽しんでいる。もう一〇年以上、私はとうもろこしや豆類、じゃがいもをメアリーの店で買っている。彼女はずんぐりして、笑顔を絶やさない女性で、ニュージャージーアクセントが強い。それからイェウンさんの店。ここではアジアの枝豆や自家栽培の野菜をいろいろ売っている。イェウンさんは新しい外来種のダイコンを勧めてくれるだけでなく、料理法まで教えてくれる。

農業と女性

こうした風景が見られるのは私の近所だけではない。最近では、世界中の人里離れた都市や町でも、それぞれのファーマーズ・マーケットが開かれている。レタスとリンゴを売る店が二軒あるだけということもあるし、草を食べて育った地元産の牛肉から、手作りのヤギのチーズ、その地域で作ったハチミツやジャム、メープルシロップまで、ありとあらゆるものを売る店が二〇以上も並ぶような大きなマーケットということもある。アメリカでは、ファーマーズ・マーケットは町の図書館の隣に押し込められている。閉鎖されたフリーメーソンの事務所に隣接する三〇〇坪ほどの場所や、市役所の向かいに店が立つこともある。日本では、高速道路のサービスエリアや駅の近くなど、どこにでも店が立つ。農家が漬物やお菓子、野菜、地元でとれた海産物を売っている。イギリスには、全国で五〇〇ほどのファーマーズ・マーケットがあるし、ニューヨークでは毎週月曜、水曜、金曜、土曜に、ユニオン・スクエアの一等地で、最も有名なマーケットが開かれている。

ファーマーズ・マーケットの人気ぶりと、ファーマーズ・マーケットによって食べ物がどう変わってきたか――食べる物の生産そのものもそうだし、近所のスーパーで何を売っているかということもそうだ――をたどれば、女性という種に行きつくと思う。

考えてみれば、食料生産はこれまで男性が独占してきた仕事だ。その一方で、女性が責任を負っていたのは、食べ物を集め、貯蔵し、保管し、料理することだった。一九〇〇年当時の農民には、一九五〇年の農民とよりも、紀元前五〇〇〇年の農民との方が共通点が多かった。二〇世紀に入るころには、男も女も食料を生産するようになった。男は日々畑で働き、女は台所でせっせと働いたから。

二〇世紀半ばから現在に至るまでに、女性という種には新しい仕事が任されるようになった。農業経営の会計係としての役割である。農業経営者は徐々に、農場労働者を一人、また一人と解雇するようになった――当然、自分の子どもたちもだ。他方で、経営者の妻たちは小さな事務所をきりもりし、実際の食料生産とは一線を画していった。同様に、農家が生産した規格食品は男が加工して包装し、規則的、規格的に小売店に配送された。そのため女性は、家電製品やインスタント食品が登場したこともあって、ジャムなどを作ったり、バターを撹拌《かくはん》したりといったことからさえも手を引いた。一九五八年当時の農家の妻にとって、洗濯機はちょっとした奇跡だったが、膨大な時間を節約するものであったことは言うまでもない（洗濯物を川で手洗いすると、とてつもない時間がかかる）。

一九七〇年までに、自給自足ではあっても、素人の域を出ない農家が急増するという現象が起きた。今日であれば、こうした農家は「大地へ帰った人」と言っていい。その多くは、食料生産という実際の取引に身を置きたいと思っていた人びとだ。こうした人びとは木を切り、薪を割り、ニワトリを飼った。こうした時代は、顕著な健康志向や、消費者がより新鮮な果物や野菜を買い求めたベジタリアン・ムーブメントと時を同じくするものだった。

この当時、どの台所にも料理本コーナーがあり、そこには、しみがついてぼろぼろになった『小さな惑星の緑の食卓——現代人のライフスタイルをかえる新食物読本』（フランシス・ムア・ラッペ著、奥沢喜久栄訳、講談社、一九八二年）があった。モリー・カッツェンの手書きの『エンチャンテッド・ブロッコリー・フォレスト』や、姉妹篇である『ザ・ムースウッド・クックブック』は言うまでもない。私もどこかにしまってある。とてもすてきな本だったし、そのすてきさは今も変わらない。

では、昨今の農業全体においてジェンダーによる分業はどうなっているのだろうか？　重要な点は、農業に携わる女性はもはや存在しないということだ。少なくとも、従来の農業という意味では。一九九〇年代初め、家族による農業経営は徐々に少なくなっていった。伝統的な農家に生まれ育った息子も娘も、家業を継ぐことには関心がなくなった。硝酸エステルが混じった水だとか、農薬を肺に吸い込む、子どもががんになるといったことはもちろんのこと——土だらけの手、不安定な収入などは言わずもがなだ。農業を行っていた大勢の男が、農場の外での仕事に就いた。「パパみたいになるんだ」という考えは完全に消滅した——そして、多くの農家の子どもたちは、ダウやモンサントといった企業に就職したのである。オーガニックの果物や野菜を育てることは、そうした息子や娘を呼び戻す手立てであり、農業に対する誇りと尊敬を取り戻すことでもあった。

これは、女性が農業から離れたということではない。絶対に——女性は確かに農業が好きだ。

保存食を作ることも好きだし、缶詰にするのも好きだ。長い期間をかけて、女性は大学に入り込み、年老いた両親や子どもの世話をしながら、健康的な食品を求めるようにもなった。そして現在のように、伝統的に台所をあずかる人ともなった。女性が求めるのは良質な牛乳であって、ホルモンを投与された牛のミルクではない。女性が探すのは、本物の桃だ。化学物質の入った食品など買いたくはない。娘の生理が一〇歳、一一歳で始まるのはごめんなのだ（女性下着の仕事をしたから、一九五〇年代以降、女性のバストサイズが平均して一・五カップ大きくなったことを知っている。統計によれば、人工飼育された鶏肉や牛肉に使われ始めたあらゆる成長ホルモンが原因だということだ）。

栄養面から見ると、女性は今でも食料品の買出しや家事の大半を担っており、家庭の共同経営者だ。家計の範囲内で、オーガニックフードを買うか、大量生産の食品を買うかを区別する。ほとんどは、食品医薬品局の規制など信じていない。

とはいえ、農業に携わる昨今の女性は性別によるギャップなどにとらわれないと言っていい。近代的な農業においては、スキルや能力の男女差は消滅している。今や、仕事を性別によって物理的に分けることはなく、女性と男性の身体的な技能にも差はない。かつては、男が重い荷物を背負っていたが、今日の農業の現場では、どちらの性でも同じように機械を扱うことができる。男性は、回転式耕耘機の操作の達人かもしれないし、花や経理を担当することに長けているかもしれない。一方、女性は二二キロものメロンを運ぶことに無上の喜びを感じるかもしれないのである。

農耕具が進化したおかげで、農業から男女の区別がなくなったのは確かだ。イスラエルやニュージーランドの灌漑やフェンス作成の技術がなければ、今日、草地農業――牛を穀物で育てる代わりに草で育てるというやり方――は存在していないだろう。草地農業は、肉の脂肪が多いことに反発して登場したものであり、牛の育て方としても栄養的に優れていることが広く認められるようになった。つまり、人間を養うためにも優れているということだ。石でフェンスを作るには、明らかに労働力も時間も必要だが、そうしたものとは異なり、今日の農場フェンスは軽量で持ち運ぶことができる。昨今は、女性でも放牧場を物理的に移動させ、家畜を放牧して草を食《は》ませることが可能になっている。また、最近の灌漑技術を使えば、家畜が一日中好きなだけ水を飲むこともできるのだ。

直取引の利点

ニーナ・プランクは有名なフード・ライターで、ファーマーズ・マーケットの仕掛け人として大成功を収めた人物でもある。二〇〇三年、彼女は、グリーンマーケットのディレクターを務めた。アメリカ最大のファーマーズ・マーケットのネットワークだ。現在、彼女は生産者だけのファーマーズ・マーケットを多数、ロンドンの全域で運営し、一五〇ほどの農家や食品生産者が年間六〇〇万ドルを売り上げるという成果を生んでいる。ニーナはヴァージニア州の田舎で生まれ育った、農家の娘だ。

「ニーナ、食べることに責任を負う女性としての立場は、今、どれくらい変わってきているのか、教えてくれますか？　例えば、自然食品運動に取り組む人の大半は女性ですよね」と、私。

「最初の質問に対しては『とても変わってきた』ですね。次の質問には、『そのとおりです』」と、ニーナ。「これは偶然ではないと思います。女性は、ほとんどの家族の食事や栄養に関して大きな責任を引き受けていますから。文化研究の学者たちは、これについて延々と論じることもできるでしょうが、私はむしろ生物学的な事実としてとらえています。子どもを産んだ女性が、その子どもに栄養を与えるという根本的な愛情を失うことは、絶対ありません。これは生まれつきのものです。たとえ、粉ミルクで育てているとしてもね。ご主人が料理をするのが好きだとしても！　変わることはありえません」

「この頃、世界全体が急ぎすぎていますよね。ファーマーズ・マーケットというアイデアは、料理する時間がない、買物に行く暇がないとか、できるだけ短時間ですべてをすませてしまいたいという考えに真っ向からぶつかるものではありませんか？」

「おっしゃるとおりだと思います。ファーマーズ・マーケットが向き合っているものは、何だと思いますか？　既成食品が広がり続けているとしても、私が見る限り、私の対象となる範囲は広がっていることはいい傾向です。今では、生乳の生産は需要に追いつかない状態です。同じことは、草を食べさせて育てた牛にもいえます。添加物の入っていないソーセージを作る国産ブランドもあります。ホールフーズが政府に先がけてトランス脂肪酸を禁止したのは画期的だと思います。これは、ビジネスが政府を引っ張ってみせるすばらしい例でした」

今日、どこに住んでいようと、ファーマーズ・マーケット運動は生活の質を格段に向上させた――こうしたマーケットでは、顧客が多様化するのと同時に、多様な商品が広がっている。消費者は、生産者から直接買い求めるのは楽しいことでもあり、満足するものでもあるということを理解したのだ。フリーマーケットについての話ではない。フリーマーケットは、ずるがしこい輩が、がらくたやトラックから落ちたような傷物の農産物を売りつけるところだ。ヨーロッパの場外市場は農民ではなく旅商人が市場の中心で、地元の自慢――うちの地元で作ったワインやチーズ――を振りかざしているが、アメリカのほとんどのファーマーズ・マーケットでは、売り手とは、野菜を育て、魚を獲って燻製《くんせい》にし、ニワトリを育て、卵を集め、ヤギのチーズを発酵させる、まさにその人のことだ。ここには中間業者などいない――買い手と生産者だけだ。商品と引き換えにお金を払う。新鮮な食材を持ち帰るための紙袋一枚もついてくる。

中間業者を排除するから得だと言うのではない。ファーマーズ・マーケットで売られている食品は、スーパーで売られている商品と同じくらいの値段はする。それでも、これはわれわれの多くが喜んで受け入れる取引である。

ファーマーズ・マーケットを気に入っている理由の一つは、一時期は崩壊する運命だと思われていた地域に活気をもたらしたからだ。都市で生活する人びとは、かつて、非常階段脇の窓の外に置いた植木鉢でセージやバジルを育てていたが、足元に地面があることに気がついたのだ。街の住民は地域農園でハーブや果物、野菜などを育てるようになった。移民の人びとは、後に残してきた国の特産物――ニガウリやコリアンダー、パパロ、カラル――を、家族や同国人のために育てるようになった。人口が減り、不動産市場に翻弄され、低収入の住民が増え、開発業者が手を出さない土地ばかりになった都心では、こぢんまりとしたファーマーズ・マーケットは都市住民の新たな食料の供給元となっている。デトロイトには、こうしたマーケットが五〇〇ほどある。小売は歴史的に、住宅や人口の動向と結びついてきた。地方のショッピングモールや大規模小売店がアメリカ文化が郊外化した結果であるならば、地方都市住民の生活環境を立て直し、都心を復活させるには、新たな小売方法が必要だ。ファーマーズ・マーケットはその一つとして十分に可能性があるものだろう。

アメリカでは、乳幼児や子どものいる低収入の母親を対象にした配給券プログラムというものさえ実施されている。これは二〇〇八年の農業法に基づいて支給されているものだ。ファーマーズ・マーケットで買物をするよう促し、同時に農家も支援するというのが狙いだ。居住場所によって、母親には季節ごとに二四ドル相当の配給券が支給される。フードスタンプを併用することもできる。栄養学クラスに参加すれば、家の近くのファーマーズ・マーケットの地図を受け取る。ＷＩＣプログラム――女性や乳幼児を対象にした栄養強化計画の頭文字――は、大あたりだ。ファーマーズ・マーケットのなかには、クーポンに完全に依存するところもある。私が最近聞いたところでは、あるラテン系の農家は、クーポンだけで年間四万四〇〇〇ドルも売り上げるという。高齢者を対象にした同様のプログラムは、それ以上にうまくいっている。誰かのために料理をする機会はほとんどないとしても、高齢者は、お金が手元にあれば確実に使うことがわかっているからだ。

これはグッドニュースである。ファーマーズ・マーケットは、高等教育を受けた白人女性にぴったりの場所という評価を広めたいからだ——アウトドア志向で、進歩的で、裕福な消費者にふさわしいフードバザールのような場所という評判。マーケットを多様化する重要な一歩は、マーケットがターゲットとしたい客層に近い商売人を巻き込むことだ。ヒスパニックが多い地域でスペイン語を話すマネージャーがいれば、大きな役割を担ってくれるはずだ。

収入や経歴に関係なく、ファーマーズ・マーケットは消費者と農家の両方を満足させてくれる。都市生活者は、舗装されていず、人ごみもない世界に戻ることができる。産業化され、型にはまった世界において、ファーマーズ・マーケットは飾り気のない健全さに立ち戻るということなのだ。

アーミッシュでさえも、オーガニックのファーマーズ運動に加わっている。伝統的なアーミッシュの住宅は、これまでも自営農家として建てられ、妻たちは家事を担うものとされてきた。今日でも彼らは一九世紀初めの道具を使っているし、これまでもどのような政府組織にも一切関わっていない。しかし、アーミッシュはホライズン・デイリー（オーガニックの乳製品の製造・販売業者）やオーガニック・バレー（一六三六軒の農家による協同組合）、ＨＰフード（全米に展開する乳製品メーカー）に迎え入れられ、やがて認定されたのだ――こうして今日では、一九世紀のスタイルを維持しながら、農業を行うアーミッシュの家族もいる。ファックスだけは使っているが。

　整然と組織された大規模なファーマーズ・マーケットは頻繁に報道されるが、私は、小さなマーケットが地元で健全に発展することが成功の鍵だと思う。ファーマーズ・マーケットはもはや、絞り染めの服を着たヒッピーが大勢集まって、傷物のカブを売るような場所ではない。その競争力は群を抜いている。化粧品からヘアケア製品、オーガニックの衣服まで、ありとあらゆるものを売っている。高齢化に伴って、マーケットが消費者に歩み寄るのであって、その逆ではないという現象が登場したことは、ビジネスの観点から、魅力的であり賢明であるということにとどまらない。同時に、公共空間に目的意識をもたらし、仲間やグループといったポジティブな感覚をも刺激したのである。

　それでは、電子商取引業界がこれに対応し、自らを再編成するのは、いつになるだろうか？私に言わせれば、ファーマーズ・マーケットに足りないのは、ずらっと並んだ露店の端に置いておくべきサイバートラックだ――このシステムがあれば、毎週、前もって注文しておくことができるし、買物を終えたら、自分がパコＧＨＳ８９３であることを入力しさえすれば、買物袋を持って帰宅できるではないか。

ブラジルの酪農工場にいないもの

とは言うものの、世界の他の国々は農業生産やマーケティングに関しては、アメリカを追い抜いている。いつだったか、ブラジルのオーガニック乳製品工場を訪問したことがある。サンパウロから二、三時間ほどの郊外にあるところだ。毎月一〇〇〇人が、稼動中のこの工場を、広くて安全な観察デッキから見学するためにやってくる。ここでは四〇〇〇頭の牛を管理している。独自の穀物飼料と餌を与え、ヨーグルトやチーズ、牛乳を生産し、パッキングしている。ここのルールに、乳搾りチームは夫婦で構成すること、というのがある。生活や寝食を共にすることでお互いのリズムが合うはずだと考えるからだ。牛が人間と接触するのは、乳絞りをするときだけだ。そこには、作業そのものについてまわる親近感や落ち着きがあり、それは牛にも伝わると言っていいだろう。

それから？　ブラジルの酪農工場は同じ水を三度、使いまわす。一度目は、牛に飲ませるため。二度目は、牛を洗ってやるため。三度目は、乳搾り台を掃除するため。三度使われた水は、リサイクルセンターに回され、また同じことが繰り返されるのだ。訪問者は栄養についてと、超高温殺菌した牛乳ではなく、なぜ低温殺菌した牛乳を飲むべきなのかという講義を受ける。もちろん、試飲もできる。

ここで、まさしくすばらしい瞬間がやって来る。ここまでで、訪問者は牛を見た。乳搾りを見学し、この農場の製品を試食した。酪農工場の水がどのように使われているのか、その後さらに二度使われてからリサイクルされる様子も見学した。この時点で、酪農と栄養についての基本的な知識を得たことになる。そして、工場の代表者がこう聞く。「みなさんは、ここまで三時間かけて見学してきましたが、まだ見ていないものは何でしょうか？　ここにいなかったものは何でしょう？」

何のことだか、最初からわかる者は誰もいない。もう一度、同じ質問が繰り返される。「ハエが一匹もいないことに気がつきましたか？　当工場では常に、清潔にするプロセスを繰り返しています。その分、製品価格が高くなります」

これまでの納屋を思い出せば、そこにあるのはごみやハエ、泥、フンだった。だが、このブラジルの酪農工場は、偉業をやってのけたのだ。訪問者はこの時点で、この酪農工場やその製品と、緊密で個人的なつながりを持った。彼らは地元に戻る途中で、トラックに積んできた製品を売り切ってしまう。他社の乳製品より一五％も高いって？　それだけの価値はある。販売では、テレビコマーシャルやマスコミ広告を一切行わない。消費者に値段が高い理由を説明するのは、仕事の一つだからだ。これは、私がこれまで出会ったうちで最も驚かされたマーケティング活動だった。

このアイデアをアメリカのクライアントにすると、よくある反応は、「いやはや、まったく変わっているね」だ。
女性が群れになって飛びつくということを理解していないのだろうか？

ガーデニング人気と自前の食品

小規模生産や食品加工が歴史的に女性による芸術の一形式であるとしたら、それは女性がガーデニングを好むことにその一因があると思う。友人のジェニー・マール・ヴェルムは、オハイオ州コロンバスを拠点にしてオーガニックフードの検査を行っているが、彼女や知り合いの女性の多くにとって、ガーデニングには精神的な要素があるという。「今の時代の忙しい日常を考えると、土を掘り返して、自然のリズムを感じる必要があるの。春になったら、花が咲くでしょ。一二月になれば、すべてが冬眠状態になって、人は家の中で本を読んで過ごすじゃない。一月に入れば、種を買うわよね。二月頃には『よし、もう春だ！』って言ってしまう。『となりのサインフェルド』の再放送に飽きて、自然のリズムにどんどん興味が出てくるのよ」

歳をとるにつれて、ガーデニングや、手を土まみれにすることが大好きな女性に数多く出会ってきた。母は「生け花」の教室に通っただけでなく、個人教授を頼んで家まで来てもらい、フラワーアレンジメントを習っていた。父親までもが（ごく短期間だったが）、ガーデニングに興味を見せたくらいだ。一度などは、雑誌の記事を読んで、シュレッダーにかけた新聞紙でじゃがいもを育てようとした。これには時間とお金と労力がかかった。結局、父親の予想をはるかに超えることが判明した。数週間経つと、父は近所のスーパーでいつものようにじゃがいもを買うようになっていたが。

私？　もし私がガーデニングをするなら、地元のマーケットには置いていないイエロー・バジルや外国産のハーブを植えたい。あるいは、エアルーム・トマトやポール・ビーンかな。見た目が美しいから。

例えば、友人のクリスティンは、片手間に養蜂《ようほう》を始めた。彼女は、ニューイングランドの裕福な家庭に生まれて、兄弟姉妹が四人いる。ウェストチェスター郡に家があり、そこにミツバチの巣箱をいくつか置いているのだ。今年、彼女は街の友人たちを説き伏せて、それぞれの家の屋上に巣箱を置くことにした。これで、四五キロものマンハッタン蜂蜜を取ることができた。私は、彼女をロブに紹介することにした。マレー・チーズ・ショップのオーナー兼経営者だ。ロブは、この地域のアレルギー誘発物質を防ぐおいしい抗アレルギー食品として、クリスティンのハチミツを売り出した。一晩にして完売だよ。

一時、私はわが家の裏庭に巣箱を置くことを考えた。そしたら、連れ合いが、私はかなりひどい蜂アレルギーだからね、と念押ししてきた。刺されたら、真っ青になるか、あるいは……。というわけで、そのアイデアはあきらめた。だが、私は今でも、いつの日かアップル・ブランデーを作ることを夢見ている。これは北フランスの特産品だ。アルコール・タバコ・火器及び爆発物取締局が蒸留酒製造所を持ちたいという消費者への許可書を抑えにかかるほど、今日われわれは、地酒醸造所やブランデー、ウォッカ、ビールの製造所が増えているのを目にしている。オーガニックフードがショップを占拠するほど増えているのも。

女性の影響がなければ、そもそもホールフーズも登場しなかっただろう。

オーガニック運動を牽引するホールフーズとウォルマート

私はホールフーズのファンだ。同社について一つ言うとすれば――「ホールペイチェック（給料全部）」というあだ名に懸命に抵抗したことだ。経営陣は、値段に見合う商品を扱っているチェーンというイメージを押し出そうと努力してきた。とはいえ、ニューヨークやシカゴといった人口密集地の商圏では、ホールフーズと同じ商品の大半はどこでも買い求めることができる。もっと安い値段で。問題は、そうした商品が都心の一カ所で見つかるとは限らないことだ。いくつかある特徴のなかでも、ホールフーズはこの上なく便利な買物場所だ。必要になるかもしれないモノや欲しいモノは、すべてここにある。ここは「何でもそろうショッピングモール」のオーガニックフード版なのだ。また、店内の客の買物を管理するための工夫もこらしているし、接客は全般的に親切だ。ホールフーズで買物をするたびに、店員と気持ちよく話し込むはめになるくらい。これは、ほとんどの小売現場にとって、もっとも簡単ではない業務である。同店の店舗がさまざまな視覚的な仕掛けをしているのは、とても印象的だ。表示を巧妙かつうまく使い、売り物についてのお役立ち情報を紹介し、料理法を教えたりすることで、ホールフーズは買物客の注意を値段から引き離してしまうから。

消費者にとっても、ホールフーズは、よりバランスの取れた生活を送るために提案してくれるところであり、サポートをしてくれるところでもある。それは、おいしい食べ物だけではなく、健康的な身体と気持ちと精神を維持することでもある。調理道具はあらゆるところにぶらさがっている。ヨガ・マットやエクササイズ用のＤＶＤ、有機大豆で作ったキャンドル、天然繊維で作られた靴下や衣服が売られている。さまざまなオーガニックの化粧品は言うまでもない。『リアル・シンプル』や『ヨガ・ジャーナル』といった雑誌が、会計レジに置かれている。また、店内の照明は絶妙で、冷たすぎもせず、まぶしすぎもせず、消費者——特に女性——は、ほこりがまったくないほどこの店が清潔であることを理解する。

同時に、今日のマーケットでオーガニックを牽引する最たるものの一つは、二〇〇六年に、まったく意外な店が提案したことであることも知っている。ウォルマート。今日、多くの人が知っているように、ウォルマートは、アメリカで一社としては最大のオーガニック製品を仕入れている会社だ。

要するに、今日、グリーン・イニシアチブ——オーガニックフード——として始まったものは、今や、政治や政治的傾向を超える運動になっているということだ。保守派の南部バプテスト教会の信者であっても、健康によい食べ物を信頼することはありうる。経済界の一角のホールフーズで起きていることが何であれ、ウォルマートでも同じような動きが起きている。そして、会社としてのウォルマートを悪く言う人がいるとしても、アメリカ文化の低俗化に関しては同社が最後の砦であるという点で、私は同社の肩を持つ。同社は、文字通り数百万人にもなる中流階級市民のライフスタイルを守っているからだ。同社の顧客層は、その日暮らしをする人びとだ。主な顧客は、子どもを必死に育てているシングルマザーである。アーカンソー州ベントンヴィルにある同社本部の一人はこう言った。「わが社は、子育てをしているシングルマザーにオーガニックフードを提供して、きちんと利益を出すこともできる」と。

一九八〇年代後半、ジェネラル・ミルズは、消費者がスーパーで商品ラベルにどう反応するかを調べるため、エンバイロセルにリサーチを依頼した。われわれの結果は、お金を稼ぐ人や高い教育を受けた人ほど、製品の栄養表示を確認するということだった。数年後、同じようなリサーチをメキシコで行った際、ラベルを読むことは、単純に、字が読めるかどうかに関わっていることに気がついた。これは同じことなのだろうか？　いや。七年生まで教育を受ければ、栄養表示を読むことはできる。過去一〇年間で、女性を対象にしたメディアが爆発的に増え、そうしたメディアの論説が主に扱ったのは食べ物だった。この結果、自分たちの口に何を入れているのかについて、誰もが気がついたのだ。

ホールフーズやウォルマートから約三キロ離れた郊外にあるスーパーの店内を歩いてみたのだが、オーガニックフードがいかに中間層にも浸透しているかを記しておくことは意味があると思う。一四本ある売場ラインのうち二本は、オーガニック製品だけに割り当てられていた――トムズオブメインのはみがき粉やアニーズのパスタ、パイレーツブーティのスナック。飾り気のないカゴに入ったオーガニックのリンゴや洋ナシは、入口に置いてあった。その隣には、オーガニックのレタスやトマト、とうもろこしが並ぶ。全体的なイメージは「地元産の農産物直売所」だ。オーガニック食材は、スプリンクラーが水をまき、わずか一〇メートルしか離れていない場所で育てられた不気味なほど形の整った作物よりは、確かに若干値段が張る。しかし、ファーマーズ・マーケットや、それに関連して女性が刺激する動きに、マーケットが反応しているのは明らかだ――汚染されていない作物を食べたいし、地元の農家にお金を落とす方がいいし、私たち消費者は自分が住む町や都市に関わるべきだわ。こうして、マーケットもこう言い出すのだ（何度か咳払いをしてから）。「われわれもよき市民ですからな」これは、五年前、一〇年前とは異なる。そう、地元のスーパーは、一方ではホールフーズ、他方ではウォルマートと競っているのだろうが、それ以上に大きな何かが存在しているのだ――間違いなく、女性である。

女性特有の勘かもしれない。

13

ドラッグストアの挑戦

女性にフォーカスする業界

古くさい、田舎の雑貨店のように見えるけど、そうじゃないものは、なーんだ？　ヒント。目の前に並んでいるのは、順不同だが、学校で使うバインダー、ペン、鉛筆、書類フォルダー、コンピュータ用紙。プールで使うおもちゃ、チョーク、サッカーボール、フラフープ。それから、サングラス、ビーチサンダル、水鉄砲、腕につける浮き輪、水中メガネ、魔法瓶、アイスボックス、洗濯せっけんの詰め合わせ、シャワーカーテン、ペットフード、炭、着火燃料、ティキトーチ、行楽用の食器、時計、写真立て、ヘッドフォン、ホットサンドプレート、換気扇、エアコン、芳香剤、加湿器、霧吹き、マジックペン、くだらない雑誌の最新号、ホームオフィス用の売場には、オフィスチェア、オフィス用の電気など。

ホームセンターが、スーパーや明るいコンビニ、ステープルズ、ターゲットの小規模店舗、健康食品のショップと合体したような場所――店員が十分にいる薬局が中心となっている店ばかりだ。

降参？　私は、現代のドラッグストア・チェーンにいる。ドラッグストアは、その辺にある小さな店から大いに進歩した――こざっぱりとした頭で、頬ひげをはやした年配の男性がカウンターの向こう側で、遠近両用メガネごしに客を見上げていた店を覚えているだろう？

店内を見回して、ここがどのようにして女性向けに変わっていったのかを見てみよう。女性は、ドラッグストア・チェーンの顧客の六〇％以上を占める。業界そのものは、これまでも性別に偏りがないとされていたが、このチェーン店の主なお客は四〇歳以上の女性だ。今日ではなおのこと、この店はそうした女性のニーズや関心、役割、衝動、道楽にフォーカスした商売をしている。

本書でこれまで見てきたさまざまな商売と同じく、薬局やドラッグストアの経営や運営をずっと取り仕切ってきたのは、男性だ。数年前、ドラッグストアに関する大規模な会議に初めて参加したことを思い出す。『スター・トレック』のコンベンション以外で、オタクを極めた男たちが大集合しているのを見たのは初めてだ。ごく最近まで、ドラッグストア業界の役職者は、ほぼ例外なく男性の薬剤師で、社内で出世階段を上ってきたような輩ばかりだった。

それから四〇年後、状況は変わりつつある。新世紀の薬局・ドラッグストアは、進化を続ける魅力的な仕事であり、ちょっとした実験が行われているところでもある。顧客層――家長たる女性、シングルマザー、子持ちの既婚女性――を意識したこの業界は、自問しないわけにはいかなかった。「こうした女性に、他に何を売りつけることができるだろう？」

考えてみると、平均的な女性はすでにドラッグストアになじんでいるし、よく知ってもいる。ドラッグストアはヘアケア製品や、夫や子ども用の雑貨を買い求めるところだし、店を出ようとしたところでリップスティックを買ってしまったりする場所でもある。ドラッグストア業界が「他の店舗が置いていないものは何だ？」と考えても不思議ではない。加えて、ドラッグストアの売上を押し上げるのは処方薬だが、これには流動的な部分がある。従来は、処方薬の売上は、ドラッグストア全体の利益の六五％を占めていた。今日では、ジェネリック医薬品のおかげで、スーパーマーケットや、ターゲット、ウォルマートといった大型店舗、オンライン薬局などとの競合もあり、その数字ははるかに小さくなっている。この売上減少をどうやって補うのだろうか？

その対応として、世界中のほぼすべてのドラッグストアは、女性に売り込むことができるものを試しているところだ。新学期に必要になるものや大型クッション、ポップコーンマシン、ワッフル焼き器、スナック、冷凍食品、ＣＤ（今、見ているのは『ザ・ベスト・オブ・アース・ウィンド＆ファイアー』だ）、高級チョコレートや駄菓子チョコ、海岸で読むのにぴったりの本など。

当然だろう？　なんだかんだ言っても、一つの例を挙げれば、掃除用品や芳香剤、電話線、電球などスーパーマーケットの主力商品だったものは、年に五％ほどもシェアを失っている。現代のドラッグストアが取り組んでいるのは、こうした商品などを定着させ、今まで以上に使いやすく、わかりやすく、手に取りやすい売場に移行させることだ。時間や体力がなくて、巨大なスーパーでパイプ用洗剤を探したり、壊れた同軸ケーブルを近所のホームセンターで買いなおす気力がない女性にとっては、朗報ではないか。

現代のドラッグストアや今日のスーパーマーケット、大型マーケット（これは、ウォルマートとターゲットと読みかえてほしい）はどこも、たった一つのものを追い求めている——二一世紀の女性の買物と日常的な悩みごとに万全の対策を提供すること。

ドラッグストアは、家族の面倒を見る任務を背負った女性を前提に設計されている。女性は、自分や家族の処方箋をここに持ってくる。店にいる間に、せっけんやシャンプー、夫や息子が使うかみそり、娘のためのつめやすりを買い求めることもあるだろう。牛乳や卵を切らした高齢者ということもある。あるいは、今晩の夕食用に、短時間で簡単に調理できる冷凍食品を買うつもりとか。

とは言うものの、今日、ドラッグストアの取引の約三〇％を占めるのは、今でも医薬品だ。

薬剤師と待合スペースの役割

ドラッグストア業界をもっとも進展させた要因の一つは、この一〇年間で、薬学部卒の薬剤師の約六五%が女性になったことだ。伝統的に男性の職業であったものが、覆されたわけだ。

ドラッグストア業界は、薬剤師と客との関係を密にすることに力を入れている。市販の医薬品で対応しようとする社会では、薬剤師は、アメリカ人が予約をしなくても、お金を払わなくても相談できる唯一の医療関係者だ。大手の製薬会社の意向を受けていると思われている医者とは異なり、薬剤師は利己心を持っていないと思われている。あまりにも過小評価され、活用されていない職業ではないだろうか。特に、かかりつけの医者よりも近所の薬局の方がはるかに、健康問題全般に責任を負っているとしたら――そして、その薬剤師と顔見知りで、信頼しているとしたら、情報に基づいた有益な関係を築くことができるではないか。顧客の多くは、薬剤師になるのにどれくらいの専門知識が必要なのか正確なところを知らないのではないだろうか。医療専門家なのか、薬局の従業員なのか、それとも？　ビタミン剤やヘルペスの治療法、有害な薬物相互作用、空腹時や満腹時に飲む薬について知りたい場合は？　よく行く薬局で聞けばいい。

最近の薬局には、いたるところに、仲のいい薬剤師と内緒話ができるスペースを設けてある。かかりつけの医者や看護師が教えてくれなかったいろんな情報だとか、外箱に書かれていないことや、あまりに小さな字で印刷されているために、読むのに苦労するようなことでもいい。ドラッグストアによっては、ある程度のプライバシーを守るために、他の客にそこから先へは進まないような目安となる線をひいているところもある。もっと進んだ薬局では、客と薬剤師が横に並ぶようなスペースを設けている――ここでも、セフォラをまねているわけだ。つまり、お互いの関係性は、平等かつ協同的なものであって、対立的なものではないのである。

女性にとっては、おそらく、女性と話をする方が気が楽だろう。世話をする側の人間が、同じ役割を果たす別の誰かにサポートとアドバイスを求めるわけだから。

だが、ちょっと待って。なんで、家庭用コレステロール値測定キットがここにあるの？ で、あれは血糖モニター？

在宅医療分野は、急成長しているアメリカ社会の現実の一つである。特に、ほぼすべての知り合いが、高齢化した両親の面倒を何らかの形でみていることを考えれば、われわれベビーブーマーにとっては現実そのものだ。繰り返しになるが、今日のドラッグストアは、女性に売り込もうと苦労している。これまで高齢化する両親の世話をする現場にいたのは女性だからだ。在宅医療市場は、現代のドラッグストアにおいて、最も利益率の高い分野の一つとなっている。

処方箋を置いたものの、店内を歩き回る気分でない場合、女性はどうするだろうか？

ぼろぼろの椅子に座り、ひたすら待つ。

薬局の待合スペースは、アメリカの小売業のなかでも最もみすぼらしい部類に入る――病気で機嫌の悪い子どもや、疲れきってストレスのたまったママばかりだから。この店には、グレーのパイプ椅子が四脚あり、古くなった大衆雑誌が山積みになっている。床も汚れている。ましな椅子を置くことは、ここを手軽に人間味あるスペースにするのに今でも有効だ。目の前の椅子は固定されていて、ユナイテッド・エアラインのターミナルにある椅子のようだ。これでは、ここにいる家族を一カ所に集めることも、家族に配慮をすることもできやしない。このダークグレーの椅子に、泣きわめく幼児を抱いて座り、その赤ん坊の耳感染の治療薬を待つという苦行に耐える女性を想像してほしい。気の毒な赤ん坊の気を紛らわせるものは、文字通り、何もない。母親にとっても同じだが。私はドラッグストアの経営者に問い続けてきた。「なぜこんなにひどい椅子をずっと使っているんですか？　ゆり椅子を置いたらどうです？」（ノースカロライナ州シャーロットにある空港では、ゆり椅子を並べていたことを思い出す。経営陣がゆり椅子を置くことにした理由は、幼児や小さな子どもをなだめたり、くつろがせたりするためだ。どこでも通用する南部風の気配りだろう）。

他方で、それを見ている人も座っていることを考えれば、古すぎる『リーダーズ・ダイジェスト』を、質のいいタイトルの雑誌や健康に関係した読み物に変えるのも理に適っていることではないだろうか？　診療所でできることが、薬局の待合スペースでできないはずはないだろう？

この薬局で私が気に入っているのは、カウンターの下に押し込まれたたくさんのカゴだ。今はもうなき大手チェーンの仕事をしていたころ、ドラッグストアの店内で活用されているカゴの数と、一人当たりの売上高には直接的な関係があることを繰り返し見せつけられた。振り返ってみれば、これはしごく当然に思えるのだが、当時は誰も実践していなかった。スーパーでは、客がカゴを手にとってカートを押すのは無意識にやることだ。そうするようあっさり教え込まれているからだ。では、ドラッグストアではどうだろうか？　これが、稀なのだ。だが、買物欲を少し刺激してやろうと思わないのだったら、なぜ、わざわざフラフープから『ザ・ベスト・オブ・アース・ウィンド&ファイアー』まで、ありとあらゆるものを仕入れておくのだろう?ちょっと、サメ軟骨があるよ。ビンに入ったジョーズというわけだ!

見た目を気にする男たち

ドラッグストアで拡大しているもう一つのスペースは、ビタミン剤とサプリメントの売場である。すべてセルフケアだ。つまり、消費者は西洋医学に追随するか、避けるかのどちらかということだ。大手医薬品会社を信頼したり、食品医薬品局は消費者を第一に考えていると信じる消費者は、そう多くはない。アメリカは世界でもダントツに、薬浸けの国である。メイン州から中西部に至るまでの池や帯水層では、抗うつ剤や一種のアヘン、エストロゲン(避妊ピルの成分だ)の残留物が見つかっている。われわれが摂取したものは、環境に還元されるのだ。科学者は、雌雄同体で生まれる淡水魚がどんどん増えているとゾッとする指摘をしている。

ビタミン剤やサプリメントへの高い関心は、部分的には、従来女性が引っ張ってきた薬草学の延長線上にあると思う。

ビタミン剤やサプリメント売場で買物をする男性と女性の割合は一般的に同じなのだが、企業は未だに「健康」に焦点を当てた商品をどうやって男性に売りつけるのか、見出していない。健康とは、セックスアピールやたくましさといった、これまでの男性の関心には当てはまらないことだからだ。男性にそっぽを向かせることなく、セルフケア商品――自分の身体をあらかじめケアしておくことで満足を覚えたり、あるいは、ただ単に健康を維持するという商品をどうやって売り込むか。これは難しい。「美」が本質的に女性的な言葉であることを考えれば、なおさらだ。それでも、ベビーブーマー世代の男性は、歳をとるにつれて、健康であることや若く見えるということがどういうことなのかをなんとなく理解するようにはなっている。マルボロ・マンにおさらばして、ランス・アームストロング（精巣腫瘍を克服し、ツール・ド・フランスで七年連続総合優勝を果たしたアメリカのプロロードレース選手）をめざそうではないか。そう、男は、肺を真っ黒にすることなく、筋肉を維持して健康でいてもいいのだ。男はたいがい、男性向けの製品に魅力を感じるものである。この分野では、ユニセックスには魅力がない。だから、この売場を占拠する商品は、パンチが効いて、男っぽくて、絶叫しているような商品名がついている。エネルギー・シューター、エネルギー・ショット、リップト・フューエル、それから、最も痛快なのはロック・スター。

　広告主である企業は今でも、女性とロマンチックな関係になるためのきっかけは、男性用のグルーミング商品にあると位置づけて、売り出している。女性から一目置かれるものというイメージを持たせることで、広告主は男性にこう伝えているのだ。個人的に満足するためでも、自分に自信を持つためでもなく、女性から口笛を吹かれるようになるためには、自分をメンテナンスする必要があるのですよ、と。一方、女性をターゲットにした広告においては、女性が容貌や健康を維持するのは男性のために美しくありたいという願望があるからだ、と卑屈にほのめかす姿勢からはとうに卒業している。

(世界中の女性は、自分のためにきれいでいたいということをよくわかっているし、もちろん他の女性からきれいだと思われたいという気持ちがあることもわかっている。)

自分がどう見られるかを気にしていることがばれるのは恥ずかしい、と思う男性は多いだろうか? 私は、多いと思う。この問題をうまく解決する一つは、男性サロンだ。ドバイのショッピングモールにあるサロンに行ってみたことがある。このサロンは1847と呼ばれていて、偶然にもウィリアム・ヘンソンが安全かみそりの特許を取得した年と同じだ。この店は完全予約制だ——何の特徴もないし、窓もない。男性客はブザーを鳴らして、入れてもらう。このサロンでは、マッサージやツメ、足、髪の手入れをしてくれる。誰も想像できないだろう——多くの男性が見た目で苦労しているなんて。そんなこと、あってたまるもんか。

1847では、葉巻を吸ってもいいし、スコッチを飲んでもいい。これを、ユニセックスのサロンで試してみたまえ。

そうは言っても、事態は数年前に少し変わった。多くの男性が、見た目は大事だと気がつき始めたのだ。ちょうどその頃、われわれは、見た目と気分をよくするような商品にお金を出してもいいと男性客が考えていることに気がついた。これは、私たちの文化において女性の影響力が大きくなり、じわじわ浸透しているからだと思う。すなわち、性別間の境界はあいまいになりつつあるということだ。ベスト・バイのような家電ショップでもそうだし、今の時代の人間関係や結婚においてもそうだ。前者の場合、女性が突然、スペックやギガバイト、ＲＡＭに関心を持つようになったわけではない。どちらかと言うと、女性がずっとそうだったように、男性も、「これは何の役に立つんだ？」と思うようになったということだ。単に、「これは何だ？」と思うのではなく。よくある「女性の」社会的影響が、男という動物に及んでいるところを何度も目撃した。男性が、見た目や美容整形、その他の美容技術などに関心を持つこと。だがこれだけではない。体毛処理は言うまでもない。

つい先日、ロンドンのセルフリッジの仕事を終えて帰国した。世界的な株価暴落が、特にイギリスに大打撃を与えている最中、ある商品が飛ぶように売れているそうだ。男性用スパンクス。イクメンと呼ばれる補正下着だ。いくらかって？　大体八五ドル。スパンクスをご存知でない方のために言っておくと、こちらは女性下着である。足の部分をなくしたストッキングのようなものだ。スパンクスは、腫れぼったい部分と下着のラインをなくし、ほとんどの女性を五キロはやせて見えるようにしてくれる。これを身につけるのは一苦労なのだが（私は試していないが、知り合いの女性はそう言っていた）、確かにその価値はある。

イクメンの補正下着は黒で、身体にぴったりしているが、締めつけられるような感じはしない。これを着ている男性は引き締まって、輪郭もはっきりして見える。最近、これをオシャレ好きな友人にプレゼントした。身長一九五センチの痩せ型だから、彼には不要なのだが、新しいおもちゃにはいつでも喜んでくれるから。これを着るのは本当に大変なのだが、いったん着てしまえば、彼の胸板は硬く引き締まり、腰周りも細くなり、背骨は盛り上がる。私には、バットマンになった気分だと言っていた。

男性目線のコンビニと女性に向かうドラッグストア

昨今のドラッグストアを見回すと、ここには、新鮮な果物と野菜以外で、高齢の女性が欲しがるものはすべて揃っている。それに、小分けされたスナック菓子を開発したのはドラッグストアだ。大型スーパーマーケットやコストコの大型店舗やBJなどで、女性がスープの缶詰一個やチェリオス一箱を買うことができるだろうか？　いわゆるシャローループにおいては――そう名づけられたのは、客は店内の奥まで行く必要がなく、あるいは長い行列を作る必要もないからだ。その代わり、欲しいものをつかんで、回れ右してレジまで戻り、買う必要のあったホッチキスの針数箱分の代金を支払えばいい。単身者や、特に高齢者にとって、小分けになった商品をたくさん取り揃えた売場はありがたい。

このドラッグストアの冷蔵・冷凍食品売場はこぢんまりとして、商品を絞り込んでいる。ベン&ジェリーのアイスクリームや低カロリーの同じような商品を置いている。冷やしたペットボトルの水も売っている。ダイエット・コークやローカロリーのジュース、スプライトもある。牛乳やオレンジジュース、卵も。冷凍食品に冷凍ピザまで。

女性は昔から、コンビニエンスストアを敬遠してきた。地元のコンビニエンスストアに直行する女性を思い浮かべてみる。最初に目にするのは、キーホルダーサイズの懐中電灯と、黒い野球帽を積み重ねたカウンターの隣に並んだ大量のビーフジャーキーだ。いろんな種類がある――バーベキューにヒッコリー、ヒノキ、テリヤキ、黒コショウ味など。ビーフジャーキーは女性向きの商品か？　いいや。これは、男向けの油っぽいタンパク質系スナックだ。誰も驚かないだろうが、この店にやってきた女性は、自分はそもそも店が想定していた客ではないと感じてしまうことが多いはずだ。

ついでだが、コンビニエンスストアは昔、ソフトコア・ポルノの拠点だった。そのほとんどはバイク野郎のガールフレンドが載っているような雑誌だった――『マキシム』や『ジャグス』など、好色の男が好きな類の雑誌だ。それから『プレイガール』も一、二冊。経営者はこうしたくずをカウンターの後ろに積んでいたから、見えていたのは雑誌名だけだった。だが女性客は、店にそうしたものがあることを察していた。とは言っても、ほとんどのフランチャイズ店が一掃したが。その理由の一つは、コンビニエンスストアとガソリンスタンドの経営者には敬虔なイスラム教徒が多く、そもそもそうしたモノを置いておきたくなかったからだった。

さて、軽いスナックを買い求める我らが女性の買物に話を戻そう。ドラッグストアが取り組まなければならないもう一つの課題は、「今日の女性が受け入れてくれるような品質と量のスナッ

ク を、どのように売り出せばいいのか?」だ。誰もが知っているとおり、アメリカの問題は、特・大・サ・イ・ズということだ。ただ、ここに置いてあるフルーツキャンディは個別包装だから、一袋全部をペロリとたいらげてしまうというよりは(男ならそうしたい衝動に駆られるかもしれないが)、女性は一回分を買うだけだろう。しかも、無糖の。男性が特大スニッカーズを買うコンビニエンスストアと、女性が無糖のスナック菓子を買うために向かうドラッグストアとでは、天と地ほど違うのだ。

ドラッグストアが優れているのは、セルフケアという点だけではない。こちらの方が好奇心を刺激するからだ。加齢に立ち向かう熟年女性をサポートする可能性に対して、ドラッグストアはその限界に挑んでいる。私の女性の知人のうち、初めての老眼鏡をドラッグストアで買ったという人は何人いると思う? 数え切れないくらいだよ。

こんな言い方があるくらいだ。「薬局で買ったのよ」

最後に——ドラッグストアは、ゆりかごから中年を経て、それ以上になるまでの女性を正当に評価するごく稀な小売現場の一つだと言っておこう。

14

美容と化粧品

美容とビジネス

有史以来、女性は容姿に関してあれやこれやの苦労を重ねてきた。体型的な「魅力」の定義は、時間が経つにつれて変わったかもしれない（それに、文化によっても違う）が、女性が顔や目、唇、肌質、香りに視線を向けてきたことは、地理的な境界線を越えて共通している。

初期の化粧品が何からできていたかって？　炭、さまざまな色の石を砕いたものにオイルと蜜蝋《みつろう》を混ぜたもの。当時も今も、香りは主として、花から抽出した成分とジャコウのような動物の分泌物を少しだけ加えたものが基本だ。

化粧品や美容の誕生は、種族の儀式にルーツがある。成人や結婚の儀式が最も多い例だろう。化粧は歴史的に女性による芸術であり、伝統的に母から娘へ、姉から妹へ、友人から友人へと伝えられてきたものだ。よくあるのは、女性が他の女性に化粧をするというものだ――男性の世界で匹敵するものはないような施術である。男性は握手をし、お互いの背を叩きあい、腕を組んで歩き、ねじ伏せ、意味もなく殴りあうが、一般的に言って、儀式のために身づくろいしあうことはない。男性が男性にマッサージしたり、髪を整えてやることはあるかもしれないが、どちらも支払いが必要になる。

一九世紀中ごろまで、化粧品の調合は家内産業で、成分表は代々受け継がれていくものだった。二〇世紀の大手企業、エスティ・ローダーやヘレナ・ルビンスタインでさえ、それぞれのキッチンがビジネスの始まりだった。一番最初の販売ルートは、一人の女性が近所の家を訪ね、化粧品を売って歩いたことだった。おかしな話だが、エイボン――その後エイボンレディとして知られるようになる熱心な女性たち――は、一八八六年に本の訪問販売をしていた男性が立ち上げたものだ。彼は、本を売るために香水の小瓶をプレゼントした。この香水が大人気になったのである。書籍の方はさっぱりだったが。こうして、新たな会社が誕生した。

一九〇〇年までに、女性が経営する小規模な化粧品ビジネスは北米中にごまんと現れた。こうした歩合制の販売方法は多くの女性にとっては、まったく新しいチャンスだった。その純収入は時間給ではなく、ツテがどれだけあり、どれだけ売ることができるかに左右された。こうした対個人、戸別訪問という商売方法は、メアリー・ケイやエイボン、その他、あまり知られていないブランドで現在も続いている。

南北戦争後に産業革命が始まると、多くの女性が労働現場に流れ込んだ。特に、衣類業界である。女性は自ら稼ぐようになり、自立するための貴重な手段として活用した。一九世紀半ばに小売業が成立し、デパートが登場すると、ブランドを立ち上げると同時に、商品を仕入れ、流通させ、販売することが、公的にも一層必要となった。男性が化粧品業界に参入し、家内産業から脱皮させ、工場で作るようになったのはこの頃である。これが大量生産につながっていく。

一九三〇年代までに、美容・化粧品業界では、三つのまったく異なる販売方法が活用されるようになった——歩合制で働く大勢の女性による訪問販売、デパート販売、地元のドラッグストアや総合スーパーでの販売である。「大衆向け」や「高級志向」は、化粧品や美容業界の中を区別するための言葉で、この区別を価格から切り離すことはできない。

女性が化粧品を使う機会も限定されたものではなくなった。映画産業が好調になったおかげである。キャロル・ロンバード、ジーン・ハーロウ、クローデット・コルベール、グロリア・スワンソンなど——こうした輝いて、エレガントで、洗練されて、マスカラをばっちりつけた美しい女性たちが、いつクローズアップされてもいいのであれば、どの女性も同じではないだろうか？女性の顔をさりげなく作りこむものとしての化粧品という考えは終わりを告げ、消滅した。口紅はもはや、舞台女優やしまりのない女性だけのものではなくなり、一般的で普段使いの化粧品となったのである。化粧品が大衆文化に浸透したおかげで、多くの女性が特別な機会のためのメーキャップから、日常的に化粧をするようになったわけだ。

二〇世紀の残りの期間を通して、美容と化粧品のビジネスは成長する一方だった。雑誌業界にそそのかされ、一〇代の少女たちは母親からではなく、数限りない広告や氾濫する解説を読んで化粧品について学んでいった。年間一三〇億ドルにもなる化粧品業界の特徴とは、昔も今も、粗野で商業志向で、変わらない側面があることだ。

メアリー・ケイ・アッシュは、テキサス州ダラスで直販会社を起業した。彼女は、販売員となってくれるのは、臨機応変なスケジュールのパートタイム労働を希望する主婦や子持ちの女性であることに気がついた。彼女は夫と共に五〇〇〇ドルをつぎ込んで、会社を興す準備をした。メアリー・ケイの販売員は「ビューティ・コンサルタント」と呼ばれ、最初の準備として「ビューティ・ショーケース」キットを購入する必要がある。そして、メアリー・ケイ・パーティ、例えば、「スキンケア・クラス」を個人宅で行うよう指導される。こうしたビューティ・コンサルタントたちは、メアリー・ケイの製品を五〇％引きで購入し、再販する。また、自ら勧誘した販売員の売上に応じたコミッションも支払われることになっている。私は、メアリー・ケイの会議が行われていたホテルにいあわせたことがある――女性同士の強い絆や仲間意識だけでなく、トップの売上を達成した女性に会社が貸し出すことになっている伝説のピンク・キャデラックは私のものよ、という秘めたる願望もあいまって、活気ある集まりだった。

エンバイロセルは、一九八〇年代後半から化粧品業界の仕事を請け負うようになった。最初のクライアントは、カバーガールだ。それ以来わが社は、ドラッグストアや食料雑貨店、ウォルマートやターゲットといった量販店で売られているような「大衆」ブランドから、デパートで売られているような高級ブランドの仕事までを行ったり来たりしている。この業界の仕事をするようになってすぐ、ある重役は、私に向かってこのビジネスをこう皮肉った。「泡による淡い希望の勝利かな」

客層と販売ルート

最初に、化粧品の大衆向けの販売ルートについて話すとしよう。

化粧品業界をドラッグストアに進出させシンプルで実用的なツールとは。壁掛けフックだ。片方の端がフックのようになった鉛筆のようなもの。同じようなフックが壁にたくさんかかっている。一つはずして、手に取ってみたら、くだらないもののように見える――こんななんでもないような道具が、どうしてドラッグストアを美容ビジネスに一変させたのか？――だが、これがもたらしたのは、かつても今も発想の大転換だ。

フックが登場するまでは、化粧品はすべてカウンター裏の引き出しにしまわれていた。それを薬剤師が販売していたわけだ。客は店内に入ってきて、フェイスパウダーをくださいと言う。と、小さな箱が手渡されるという仕組み。このやり取りには、なにがしかの勇気が必要だった。だが、フックのおかげでセルフサービスが可能になった。ブランドごとに整理され、女性は化粧品に触ることも、慎重に調べることも、時には試してみることさえできるのだ（デパートとは対照的だ。

デパートでは製品のお試しは、迫力のある歩合制の販売員が目を光らせ、制限しているから)。最も重要なのは、価格設定が透明であることだ。若者客をずっと悩ませてきたのは、レシートを受け取るまでその製品がいくらなのか分からないということだったから。

フックのおかげで、従来、カウンターの向こう側にあったものが、今は目の前にある。とはいえ、大衆向けの美容業界は非常にきっちりと区分けされたマーケットだ。これまでは三つのブランドが女性の顔の一部分を「独占」してきた。レブロンは色物、つまり口紅とマニキュア。メイベリンは、目。カバーガールは、顔全体だ。スキンケア、あるいは業界でいうところの「衛生用品」は、まったく別の分野だった。初期の女性用化粧品は、わずか五ドルで手に入る必需品だった。これについては後で話そう。

大衆向け化粧品売場にある典型的なセルフサービスのメーキャップ・コーナーは複雑を極めている。ショップマネージャーのほとんどはこの売場を毛嫌いする。人件費がかかるし、万引きされるおそれがあって頭痛の種だし、整頓しておくことが難しい(この何年間かで、われわれは、一〇代の女の子たちがドラッグストアで化粧する様子を収めた映像を何時間分も集めてきた——彼女たちは四五分もおしゃべりしながら化粧をし、めかしこみ、ポーズをとってみたりした——その後、何も買わずにただ店を出て行くのだ)。店に商品を納めてきたブランドは昔から新製品の開発には長けているのだが、売れない商品を処分するまでの対応は遅い。結果として、売場が混雑し、混乱をきたすことがしばしばだ。

ドラッグストアだろうが独立した化粧品販売店だろうが、化粧品を買うという行為には、ほぼ必ずある種の空想が混じっている――消費者は、今の自分と、この人みたいになりたいという理想とを結びつけるからだ。買物には、まさしくある程度の「情報提供」というべきものが関わっている。「これでいいのかな？」「この色がちょうどいいのかしら？」「前、買ったと思うけど、パッケージは違うみたいだし」。どの女性も化粧品売場で買物をし、後になって後悔した経験がある。長年伝え継がれてきた経験やアドバイスがなければ、女性たちは化粧品売場を利用するのに、ぼんやり記憶している雑誌記事や友人とのその場限りの会話、販売員との根拠のないやりとりなどを頼りにするしかない。

例によって、混雑するドラッグストアの売場には、スペースの問題もある。これが、売上に貢献しないわずかなスペースをなくすことにつながる――特に鏡。ドラッグストアの側から考えてみようか。化粧品売場に鏡を置きすぎれば、客は口紅やマスカラのパッケージを破って、試してみようとするだろう。もう一つの矛盾は、製品と販売促進の関係だ。混雑した通路に鏡を置いて、すべすべした顔に艶っぽい口紅を塗ったスーパーモデルのポスターを貼った場合、そうした宣伝担当のスーパーモデルや芸能人のポスターを立ち退かせるのは少々やっかいだ。結局、エヴァ・ロンゴリアやドリュー・バリモアといった人たちは、この仕事でかなりの額を稼いでいるのだから。

結果として、大衆向け販売網の化粧品売場――繰り返すが、ドラッグストアや食品販売店、量販店などだ――が、経営者にとっても消費者にとっても、フラストレーションの原因になる。

　こうして、われわれはデパートや、業界でいうところの「高級販売ルート」に向かうことになる。突然――おっと――近所のドラッグストアで四、五ドルで売っている口紅が四倍、あるいはそれ以上に跳ね上がる。こういう説明を聞いたことがある。口紅一本で最も高価なものはリップケースで、価格の三分の二あるいはそれ以上がマーケティング経費か利益だと。

　デパートのカウンターに近寄る新顔の客は、びくびくしていることが多い。それには理由がある。値段は秘密にされていることが多いし、販売員が強引である場合もあるからだ。たいていは店の入口で行われるのだが、フロアが改装されれば、さらに売り込みは激しくなる。多くの若い女性にとって、しゃれたレストランの奥のカウンターでひっそりとしたいときに、手前のテーブルに案内されるようなものだ。結局、女性は何かを買わなければいけないような気持ちにさせられる（「結構です」とだけ言って立ち去るには、メジャーリーグ級の勇気がいる）。この力関係を理解した高級ブランド各社は、客の側に立とうとがんばった。だが、部分的には、デパートそのものに問題がある。顧客層の高齢化。若くて流行に敏感な女性が、ママと一緒に化粧品や香水を買いに来ようと本気で思うだろうか？

　セフォラやアヴェダ、オリジンズといった美容化粧品の独立店舗や、ＱＶＣのような新しい直接販売や商品ＣＭをのぞいてみよう。直接販売と商品ＣＭが女性に提供するものは、プライバシーと、自宅で自分の好きなように対応できるという点だ。容姿を気にしたり、化粧品カウンターの人ごみに入り込むことを警戒するような女性にとって、ＱＶＣや商品ＣＭは願ったり叶ったりである。値段はお手ごろだとわかっているし、使用前・使用後の話には励まされるし、「待って――この他にももっとあるのよ！」と繰り返されると、魔法にかかってしまう。ただ受話器を取り上げて、フリーダイヤルに電話をかけるだけ。ＱＶＣも同じで、経営者風の女性を登場させ、商品を消費者に事実上、直接売りつけさせている。このとき、商品の使い方や肌の色合いにぴったりのシャドーの選び方を教えてくれるし、コツや個人的な話をしてくれたりもするのだ。

われわれの多くは、近所や兄弟姉妹、両親とのつながりをなくしてしまったため、テレビやインターネットはそこに入り込み、友人や家族がかつて担っていた役割を担うようになった。誰が一〇代の女の子に頬紅の使い方を教えてくれるというのだろうか？　先に書いたように、一〇代向けの雑誌以外から、衛生や美容についての教育に匹敵する情報を得るアメリカ人の少女はほぼ皆無なのだ。

ブランドショップにも入ってみよう。ＭＡＣやジョー・マローンのような高級ブランドが独自のショーを行っている店だ。こうしたショップや、加えて、セフォラ、アヴェダ、オリジンズなどは、芸術としての美を女性から女性へという原点に回帰させた。ここで教育、儀式、製品が結びつくわけだ。セルフサービスと接客販売の組み合わせという、古いやり方を復活させる取り組みは、美容ビジネスにおいて改革が密かに進行中であることを反映している。

セフォラの戦略

セフォラの親会社はＬＶＭＨだ。フランス系持ち株会社であるモエヘネシー・ルイヴィトンのことで、世界最大の高級コングロマリットの一つである。セフォラは二一カ国に約七五〇店舗を持ち、化粧品やスキンケアグッズを扱っている。一九九〇年代初め、シャンゼリゼにセフォラの旗艦店が開店すると、一晩にして世界中の小売業者が訪れるメッカとなった。

セフォラの功績は、伝統的な販売員－顧客という力関係を変えたことだ。販売員と客をカウンターのどちらかの側に集めることで、私対あなたという取引にするのではなく、平等に問題解決を図るものにした。つまり、従来型の小売店と客という関係をひっくり返したわけだ。もう一つの功績は、客は一カ所ですべての製品とそれぞれの価格を確認することができ、気に入った製品を効率よく、さっと買うことができることだ。

セフォラが考え出したものは、「オープン販売」として知られている。価格は透明で、販売員も親切だし、協力しあうものになった。それに、すべてが陳列されている――高級ブランドや自社ブランド、アーバン・ディケイやバクサムのような人気のあるぎらぎらした安物ブランドさえも。

セフォラは、化粧品を買うという行為から気が重くなる要素を取り除いたのだ。遊び心があって、おしゃれを楽しむということに特化した――さまざまなカラーや口紅を試し、目や顔に化粧をし、自分の顔にどれくらい映えるかを確認する。それにセフォラの販売員は売場に出て、化粧するのを手伝ってくれる。私は、セフォラ・パリ店のマネージャーに聞いてみたことがある。「どういうタイミングでお客さまに声をかけるんですか?」セフォラの販売員は、常に気を配るようトレーニングを受けています、ということだった。彼女たちは、客の頭が動いている方向を見つめている。客が、洗練されたすてきなものを見つけたとしよう。その商品をじっくり観察して、あちこち調べている。一分後、この客は、次の段階に進んでも大丈夫だわ、と判断する。でも、聞きたいことはあるし、どうしようかしら。この瞬間、女性は目を上げ、あるいは頭をごくわずかに動かす――声をかけるために一歩近づくよう、セフォラの販売員がトレーニングを実行する瞬間である。

セフォラは香水市場にも改革をもたらした。最も高価な香水でさえもオープン販売にしたのである。このおかげで、女性は間近でじっくり吟味できるようになった。この店の特徴は、よく売れている新商品と人気商品をずらりと取り揃えていることだ。それぞれのブランドを、万引きされないように別々のガラスのケースに入れ、鍵をかけて売っていた、これまでのデパートとは大違いだ。

それ以上に重要な点は、セフォラは、改装の意味まで変えてしまったことである。売場改装があたかも制裁であるかのように受け止められるデパートと再度比べてみると、デパートの店内には一〇代の少年から、用心深い靴のセールスマンまでさまざまな客がいるが、セフォラは、喜んでもう一度買物をしようとする女性でいっぱいなのである。ここそが、鏡のある場所――改装した売場の正面だ。セフォラは改装によって、斬新さと納得のいく説明を組み合わせたのである。ここで体験することは、販売員が客にしてくれることだけではない――自宅でも商品を使いこなせるような方法についても教えてくれるのだ。

セフォラはアメリカに上陸すると、サンプル配布というコンセプトを採用した。ドラッグストアとは逆で、その原理はこうだ。四八ドルもするインテンシブ・アイ・トリートメントを買わせるよう仕向ける代わりに、店は、家に持ち帰って試せるようなサンプルを渡す。そうして、客は店に再びやってきてから初めて、高価なフルサイズの商品を買うのである。サンプルを渡す狙いは、必ずしも安くはない商品をなぜ購入するのかを客に理解してもらうためだ。キールズは、積極的にサンプルを提供するもう一つの化粧品チェーンだ。こちらの作戦もうまくいっている。

スキンケア用品は、今日の化粧品販売店のどのコーナーに置かれるだろうか？　長年、われわれは、衛生と美容、医薬品と商売が結合するという不穏な動きを目の当たりにしてきた。この結果、驚くことではないのだが、価格が押し上げられた。製品が医学的に承認されれば、六〇ドルの値段も、なんともあっさりと正当化されてしまう。ブラジルの高級デパートであるダスルーでは、化粧品と皮膚科学との連携は目に余るほどだ。展示されている商品の多くは皮膚科学的、あるいは皮膚科医によって認められたものばかり。店内には病院まであり、顧客は美容整形の予約もできる。医師が認定した商品ということは、常に専門販売員の切り札となり、お客様にぴったりのスキンケア製品はこちらのXまたはYでございます、となる。

個人的には、こうしたすべてにゾッとさせられてしまう。

アヴェダのコンセプト

セフォラは一五年前に道を開いていたかもしれないが、変革はそこで終わったわけではなかった。アヴェダを見てみよう。

なるほど、一瞬で落ちつける。アヴェダはずっと、サロン用のヘアケア製品だけを扱っていたが、製品カテゴリーをスキンケアとメーキャップにまで広げた。今でもブランドは一つだけ、それがアヴェダだ。店内には、スパのような、禅の雰囲気がただよっている。販売している製品はエレガントで美しく、たくさんあるわけではない。美に平穏やバランス、健康というオーラが伴うのであれば、アヴェダには、セフォラ以上に美というテーマに同調する雰囲気がある。耳障りな音楽は流れない。ほのかにアロマを焚いているのだろうか？　業界の皮肉屋さんたちはこれを「ロースト・ラム」と呼ぶが、ローズマリーのかすかな香りがする。ヨガ・マットを取り出して、床でストレッチをしたくなるだろう。

「お茶はいかがですか？」と、若い女性の販売員がにっこりしながら声をかけてくる。音もなく後ろから近寄ってきたのだ。ローラースケートに乗っているかのようだ。

　喜んでいただきます。

　これから何が始まるのか、わかっている――アヴェダのストア・トレーニング・プログラムは、これを「儀式」と呼んでいる。お茶（大した量ではないが、熱すぎないオーガニック・ティーだ）をいただくときは、販売員が客に質問をするいいタイミングだし、相手を安心させて、会話を引き出すことにもなる。目の前にある製品の記述はとてもシンプルだから、どのみち、それ以上の説明は必要だ。シャンプーボトルには「乾燥して痛みやすい髪用」とだけ書いたラベルが貼ってある。これは偶然ではない。アヴェダの販売員は、お客にプレッシャーをかけない会話をするようトレーニングを受けている。「乾燥して痛みやすい髪用」というようなあっさりした記述であれば、続いて、「お客さまの髪について、もう少し教えていただけますか？」と聞くことは自然だし、難しいことでもない。私の場合はお話しすることはあまりないが、女性であれば、腰をおろすよう心を込めて勧めてもらえるはずだ。そして販売員は、アヴェダのシャンプーにはどういう効果があるのか、説明してくれる。このバランス――製品の下半分にどれくらいの情報を載せておくかと、それ以外の情報を補うために販売員にどの程度説明させるのか――には興味をそそられる。

　アヴェダには男性用の商品もある。商品がゆったりかつ整然とディスプレーされた男性用ケア製品の売場は、下着姿のデビッド・ベッカムの写真が並べられることはなく、シンプルで、ここにぴったりの石を集めて作られている。ボトルは、ジグザグのかっこいいデザインで、いずれもスタイリッシュかつアメリカ南西部を想起させるものとなっている。無骨ではあっても、あからさまに猟犬やピックアップトラック、ガラガラヘビを想像させるものではない。つまり、雄々しくも情熱的で、進んだ感じさえするのだ。

アヴェダが打ち出すコンセプトは、健康や自然、新鮮な空気、清く正しい生活といったもので、まるで——原則として、母なる大地に帰るというもののようだ。また、今日のデパート売場が現実的で商業化されているのに比べ、アヴェダは、上品かつ混雑しない売場を作り上げている。ドラッグストアもデパートもすぐに消滅してしまうことはないが、柔軟さがないために、親密な買物環境を生み出すチャンスをアヴェダなどの化粧品の独立店舗に渡してしまったのである。セフォラのように——ＭＡＣでも検証するが——店内の販売員は女性客に接し、付き添う。女性客は自分たちがターゲットであり、餌食であり、あるいは敵であるなどと身構えることは、ただの一度もない。

再度、歴史的な左脳対右脳という二分法について考えてしまう。一方は、男性的で科学的なアプローチ——精確で慎重な世界で、ボトックス療法や化学治療、腹部の整形手術、顔のリフトアップなど——だ。何も女性の外科医が多くないと言うつもりはない。男性による美容科学には科学が介入し、言うまでもなく、身体に針を入れることもある。一方で、より「女性的な」アプローチがある。天然成分だけを用いた製品や治療、漢方薬、ハーブティー、軟膏。さらに、男性による科学的思考に基づいた手法や道具を使う「美」を、やんわりとかつ毅然と拒否する姿勢。この二分法は、心理学的な見解にとても近い。脳内におけるアンバランスな化学物質のバランスを取るために特効薬を提示して手軽さを見せつけるものと、昔ながらの相談対応という二つの方法だ。メンタルヘルスの専門家に尋ねれば、この二つは両立すると言ってくれるだろう。

美容業界は、物理的環境が正しくあるべきことをようやく認識した。現代女性の多くが美容に関する対策として求めるのは、トータルな解決法だ。リップスティックやヘアケア、スキンケア、化粧品のすべてを、一カ所で揃えたいのである。セフォラと同じく、アヴェダは価格設定でも一歩先を行っている――つまり、客を飛び上がらせ、驚かせ、あわてさせるような値段を隠した商売はしていない。これは、時間の節約にもなる。

店の奥では、女性の販売員がアヴェダのモイスチャライザーを使って、女性客の手を丁寧にマッサージしている。

エスティ・ローダーはかつてこう言ったとされている。「女性のお客さまの手を取ることができれば、もう、こちらのものです」この場合も、美、心身の健康、健全さは、同じジェンダーの世話をする女性――女性の漢方医、女性の看護師、女性の助産師であろうと、そうではなかろうと――によって成り立ってきた。それでは、男性が同じ男性にマッサージしてもらうために喜んで手を差し出すとすれば、それは一体どういう状況だろうか？　その一方で、ここアヴェダで、女性の販売員が客の手をマッサージしているところを目にしたが、この二人の見知らぬ人同士はどれくらい親密になることができるのだろうか？

エスティは正しかった。その客は、レジで今、同じハンドモイスチャライザーを買っているところだ！

親切なMAC

MACは、エスティ・ローダー社が所有するブランドだ。MACが世界のセフォラやアヴェダと違う点は、このブランドがすべすべお肌だけでなく（もちろん、すべすべも含まれるが）ありとあらゆる色合いの肌に対応して、販売をしていることだ――アジア人やラテン系、アフリカ系アメリカ人、中東の人びとを対象にしたマーケットにおいて。MACはデパートでも売られているが、その他多くの化粧品ブランドと同じく、独立店舗も並行してオープンさせている。なぜかって？　独立店舗なら、アヴェダのように、好きなようにスペースを使うことができるし、運営方法を独自に決めることができるから。ある意味、サックスやノードストロームで、ランコムや隣接したクリニークとスペースを共有していれば、姑息《こそく》なふるまいをするわけにはいかない。

MACは、他のどのデパートよりも親切で親しみやすく、丁寧に対応している上、ここの販売員は売ることにそれほど執着しない。他の多くのデパートの販売員が無愛想であるのと比べて、ここの販売員は、流行に敏感で若々しいし、対応も気持ちがいい。MACは、プライベートでありながら閉鎖的でないクラブのようだ。遅れてやって来たとしても、そもそもお客が来店したことに感動してくれるのだから。

ここの販売員は誰一人として、少しもイライラしているように見えない。とにかく満足しているように見える。デパート（リトル・リーグのチーム全員が通り過ぎざま、あっかんべーをするような場所。おそらく、実際に舌を突き出していることだろう）で化粧直しをする女性と違って、ＭＡＣやアヴェダ、セフォラにいる人は誰もが、同じような理由でそこにやって来る。こうした店で、女性は椅子に座って化粧をし、わからないことを聞き、まくし立てることのないコンサルタントとコミュニケーションを取ることができるからだ。こうして、自分が他の客から見える場所にいるとしても、公の場所で買物をしていても、潜在的な気持ちの上ではプライバシーが守られているということである。

今、われわれが目撃しているのは、女性が担ってきた最も古い伝統への回帰である。これを訪問販売に例えると、女性がわざわざ来客を迎えるのではなく、ドアが自然に開き――しかも、販売員が横にいてくれるようなものなのだ。

セフォラやアヴェダ、ＭＡＣの店内は静かで、プライベートが保たれ、親密な雰囲気がただよっている。楽しげで、女の子らしい、ウキウキした空気で満たされている。今の時代の売場改装の目的は、売上アップではなく、別の女性との一対一の関係を形成する――対話を生み出す――ことだ。同様に今は、化粧品と科学の不思議な融合を経験している――手作りで、そもそもこれまでは女性による一種の芸術であったものが、男性的で左脳的なαハイドロキシ酸なんとかかと結合したということである。最新のセロトニン再取り込み阻害薬が対話療法と共存しているように、自然と科学という女性と男性の世界も事実上平和裡に共存できるのである。

それでも、私がずっと思い浮かべているのは、二人の女性が手を貸し合っている姿だ。この二人は母子でも親友同士でもないかもしれないが、つながりのある仲間同士であることは間違いない。

未来の美のシンボル

化粧品を取り巻く環境は今後、どのようになるだろうか?

特定のブランドに直行するといったものにはならないだろう。興味をそそられるほど、見事なまでに——どうぞご自由に。いくつもの役割を担う女性は、ぴったりの化粧品を求めてあっちこっち、どこへでも出向いていく。現在、化粧品の選択は、もはや一般向けだとか階級、高級といったことが基準ではない。そうした階層的な世界は、すでになくなっているからだ。女性は、セフォラからメーシーズ、お気に入りのウェブサイトまで、ありとあらゆるレベルの化粧品を使い続けている。ほとんどの女性にとっては、〝トースト・オブ・ニューヨーク〟のリップスティックをレブロンのカウンターで買おうが、近所のドラッグストア・チェーンで買おうが、同じなのだ。アヴェダに行って、シャンプーと天然モイスチャライザーを買い、ＭＡＣでさまざまな色のファンデーションを試し、ウォルマートでマスカラを購入し、近所のスーパーで高価なスイス製化粧水とワセリン一つを買い求めるといったことを、繰り返すのである。

インターネットと携帯電話が連携し、従来型の現実の世界とうまく組み合わされた――現代の女性はこうして、気分や場所に応じて、必要な化粧品を一般の店で買い求めてもいいし、ひそかに購入することもできるようになった。

ＹｏｕＴｕｂｅにアクセスするのもいい。ローレン・リュークはタクシー配車の仕事をしていた二七歳のシングルマザーだ。彼女はこの一年間で、お手軽な化粧品とメーキャップの専門家に変身した。ついでに、ネット上のちょっとした有名人にもなった。ＹｏｕＴｕｂｅの彼女の動画はイギリスのニューキャッスルで録画された一〇分もので、これまでに五〇〇〇万回のヒットを記録し、彼女のチャンネルは七〇カ国で二五万人が視聴するほどになっている。ローレンは正直だし、ユーモアがあって明るくて、親身になってくれる女性だ。魅力的なほど、平凡でもある。彼女が女性に教えるのは、メーキャップの仕方やリップの塗り方、頰紅の乗せ方など――最初から最後までの手順である。ローレンは、テレビや雑誌が取り上げる化粧品の情報は間違っていると言う。だから自分の容姿はどこかヘンだとずっと感じてきたのよね、と言うのである。多くの女性が同じことを思っているはずだ。実際、「化粧品」に関する動画は、女性がウェブからダウンロードするコンテンツのトップ５に入っているのだから。

ローレン・リュークは何を売るのでもない——少なくとも、それはそもそも狙っていたことではない。とはいえ、セフォラは最近、彼女とパートナーシップを結び、ローレン・リューク・シリーズの販売を始めることを発表した。ローレンの勝利は、インターネット上で記録的な影響力を見せつけただけではない。美のシンボルが、販売員やスーパーモデル、そして若さや完璧さやSサイズばかりを強調するアメリカの歪んだ文化にサヨナラをしたことを意味するのだ。

クールであると同時に見事《ビューティフル》ではないか。

15

美しい髪を求めて

髪型へのこだわり

一七世紀に鏡が普及するまで、われわれ人間は静かな水面や磨きこんだガラス、あるいは金属の表面に映った自分を見つめてきた。そうしたものがないときは、誰かの視線を通して見つめていた。鏡は見事なほどシンプルで奥の深い発明だったし、今でもそう言える。鏡は、人の外見を映し、日々どのように変わっていくのかを見せつける。ハンサムなのか、かわいらしいのか、それとも、その中間なのか。太っているのか、やせているのか、それとも中肉中背なのか。ストレスでイライラした顔をしているのか、それとも、用心深い顔なのか、怒っているのか、悲しんでいるのか、それとも狂っているのか？ 詩的に言えば、鏡は人の魂に通じる窓である。

自分を見つめる一方で、髪型はどうなっているのだろう？

あちらこちらの歴史に目をやれば、ぼさぼさ頭から品のあるものまで、髪に関する断片的な情報が明らかになっていく。一八世紀、成人してからのロシア貴族のなかには、その巻き毛を決して洗わなかった人もいたようだ。その他の文化社会では、シラミを退治するときだけ髪の手入れをしていた（エジプトの古墳からはシラミ退治用の櫛《くし》が見つかっている）。これと対照的なのは、実在した人物の肖像画だ。これを見ると、女性の髪型は羽のようで、高級なウェディングケーキかと思うようなものもある。マリー・アントワネットの髪型は高さ一メートルほどもあって、羽や宝石、果物、おもちゃ、時には船の模型といったもので飾られていた。二、三キロの重さがあったに違いない。

どの女性でも、髪の毛以上に、自分の身体のなかで自信や不満の原因となっているか、あるいは毎日チェックしているところはないと言うだろう。女性の髪型は、こだわりや自己がそのまま表れるところでもある。現代の女性と髪との関係は、日々変化して終わりのない、矛盾ばかりのスライドショーのようなものだ。多くの女性がオーガニックで、自然なスタイルを取り入れている一方で、少なくとも同じくらい多くの女性は、オーガニックでない不自然な工夫をこらしたスタイルを選んでいる——カラーリングだ。

ヘアサロンに求められるもの

他の女性の髪型を整えるというのは、食事を作り、子どもの世話をし、畑で一所懸命に働くことの他に、女性に初めて許された職業の一つだった。それから数世紀経ち、ヘアサロン業界はびっくりするほど成長した。アメリカだけでも約二五万店舗あり、およそ一〇〇万人が働く場となっている。ヘアサロンの労働者には、通常、初級レベルのヘアカット担当からベテラン美容師までがいる。知り合いの若い女性は、一三〇ドルのカットと、五〇〇ドルのカットのどちらも試したことがあるという。彼女に言わせれば、五〇〇ドルのカットはそれだけの価値があるということだった。

ある世代に属するわれわれの母親たちは、毎週あるいは一週おきに「ビューティ・パーラー」に出かけていた。経営していたのは、年配の女性か、屈託がなくて親身になってくれる男性だった。髪を洗って、ちょっとだけカットし、パーマをかけ、ヘルメット型のドライヤーをかぶっておとなしく座っていたものだった。まるで宇宙飛行士のようだった。ビューティ・パーラーは、精神科の診察室であり、コンサルタントのオフィスであり、おしゃべり好きが集まる騒がしい場所であり、家庭生活から逃れる場所でもあった。ここにやってくるのは、治療であり、自分のためであり、女性対象の商業空間とは違う人びととすごすためでもあった。

今日の美容院は、単に従来どおりのヘアケアを行うだけの場所ではない。多くは、ネイルトリートトメントやボディセラピートリートメント、日焼けやマッサージ、脱毛処理なども行っている。少なくない美容院が、相談に応じてヘアケア用品などを売っている。例えば、ポール・ミッチェルは、そのブランドのケア用品だけを目立つように陳列してもらう代わりに、美容院に報酬を支払っている。これと引き換えに美容院は、スタイリスト（コミッション制だ）に陰に陽に製品を押しつけさせている。その前提は、スタイリストが髪を触れば、何が最適なのかわかるはずだからだ。

サロンとデイ・スパの組み合わせは、美容業界で最近急成長している分野で、今後も成長が見込まれている。また、健康を維持するために家でもできることや、その方法を教えてくれるようにもなるだろう。サロン・スパのサービスで最も人気があるのは、ペディキュアとスクラブだ。ビューティ・サロンが復活したのは、ユニセックス・サロンがそれほどまでには復活しなかった、その直後のことだ。ジェンダーの中立は、ある年代では感動的なことすらある——男女共学のどこかのカレッジの学生寮——あるいはキャンパスに行ってみてほしい。男女共用のトイレが二つ、分けて設置されている。男子学生がどちらかを使い、女子学生がもう一方を使えるように。

ユニセックス・サロンは今でもあちこちにあるが、知り合いの女性の多くは、これをよしとしていない。男性の存在が問題なのではない。どちらかというと、男性の髪をカットするようなスタイリストには女性の髪を扱う十分な技術がないのではないかと、ひそかに疑っているからだ。女性の髪には、高度な腕と細かいテクニックと専門的な技術が必要だから。それに、ユニセックス・サロンには、決まった手順をこなすだけという印象がある。その気持ちはわかる。私がここを嫌う理由はもう一つある——髪を「調理する」においが大嫌いなのだ。

ある晩の夕食を何にするか、どのブランドの炭酸水にするか、想像していたものとまったく違う口紅だったら、ということは我慢ができる。いずれにしても、二四時間以上もあとを引くことはないからだ。だが、ヘアカットに失敗すると、不名誉な記憶として後々まで尾を引くことになる。

三〇歳以下の女性にとって、髪型はおしゃれであり、個人的な問題である。三〇歳以上の女性にとって、髪を切るのは日ごろの手入れに過ぎず、三カ月、半年に一度、あるいは、そろそろ切らないと、と思ったときに切るものだ。女性は恋に破れると、髪型を変えることが多い。ヘアカットはご褒美であり、終わりであり、新たな始まりでもあるからだ。母親になると髪を短くする女性が多いことは明らかだ。まるで、新たな生命を育てるのは、面倒な現実であることを力説しているかのようだ。もはや、自分だけの問題ではないから。その後は、また髪を伸ばすのが普通だが。女性は男性に比べてはるかに許容範囲が広く、衣服やスポーツ、書籍や音楽、芸術の趣味などあらゆることで、性別の壁をけ散らすのだが、髪型となると限定的だ。私なら、明日にでもあごひげを剃ってもかまわないし、そうしたら、ほとんどの人が私だと気がつかないだろう。八〇代になる女性の友人は、以前、こう言ったことがある。これまで生きてきて、ペニスに憧れを感じたことは決してなかったけれど、ひげに対してはうらやましいと思ったことがあるのよ、と。

女性が利用できる唯一の代わりとは何だろう？　かつら、あるいはエクステンション。こうしたものを使えば、髪の量や質感、長さ、色を変えられるし、頭の形を変えることもできる。ハロウィーン用のふざけたものは別にして、ほとんどのかつらは人間の髪でできている。ガンで髪をなくした女性用のかつらを作るために、切った髪を寄付するというボランティアもある。私も自分用のかつらを持っている。父からもらったものだ。ごま塩頭（ほとんどは塩だが）で、ぐしゃぐしゃで、カリフォルニア南部の毛深いヒップスターの年寄りの決めスタイルを思い出させるものだ。普段はつけないが。誰かをカモにしたいときに引っ張り出している。

切った髪といえば、髪型がうまくまとまらなかった日（Bad Hair Day＝ＢＨＤ）があったと言う男に出会ったことはない。個人的には、自分にＢＨＤがあるとは思えない。あっても、気がつかないだろうし。

ＢＨＤとは、女性ならほとんどおわかりだろうが、女性の髪があるべきふうにおさまらない二四時間のことを言う。女性の髪は、いろんな形で手に負えない場合がある。汚らしく見えたり、へにゃりとしたり、ぱさついたり、言うことを聞いてくれないこともある。そう見える場合もあれば、そう感じることも、そういう状態になるときもある。天気に左右されることもある。湿気があると、女性の髪は縮れてしまう。暑すぎる建物の中にいたり、乾燥した機内にいれば、髪のうるおいが失われる。家を離れれば、別の街やホテルの水質やせっけん、シャンプーのせいで、ぐっすり眠った後で、半狂乱の朝を迎えることになりかねない。

いいニュースとしては、ＢＨＤはやっかいなものではあるけれども、本来、あっという間に終わるものだということだろうか。

カラーリングと脱毛

われわれの文化は、自然でオーガニックで環境に配慮するということに、よりシフトしている。ファッション雑誌で実物以上に美しく仕立てられた若者は、斬新で手を加えられていない美しさを絶賛する。そこに、大勢のスタイリストが関わり、演出として大型扇風機が使われているとしても、それは関係ない。とはいっても、アメリカの成人女性の約六〇％は、髪の毛を染めた経験がある。髪を染めることに屈託がない一〇代の終わりに、おしゃれとして始めるものだ――お楽しみで試してみるというわけ。三〇代になると決定的な分岐路にさしかかり、おしゃれから、来るべき白髪頭を隠すためや、もともとの色合いを保つための必要不可欠なことになる。

女性がいったん、髪を染めるようになると、やめることは難しい。ヘアサロンはカラーリング製品を強く勧めるようにもなる。加えて、自宅にいながら自分で染めるような製品も増えている。染めるのは第一歩にすぎない。髪の色を抜いたり、ハイライトを入れたりするのは、今風の流行でもある――「海辺で一カ月を過ごして帰ってきたみたいにしよう」。天然素材を使ったヘアカラー製品は、「不良」品と同じ棚に並べられていることがある。だが、多くの女性はそうした製品には目もくれない。カラーリングの役目も果たしてくれないことがわかっているからだ。

髪の毛と体毛とでは、女性はまったく違う扱いをする。人気のあるスポーツテレビ局に出ている司会者が、アルバイトの女性リポーターがいかに腕を脱毛しなければいけないかということをおおっぴらにちゃかしていたのを耳にしたことがある――要は、女性が無駄毛の手入れをしなければ、国民の理想像を貶めるということだ。きれいな髪をした裸の女性の姿は、われわれの文化に浸透している。女性はこの矛盾をおそろしくあっさり、しかしこれまでどおりの複雑な心境で受け入れている。女性のてっぺん――頭髪――は、化粧品やスキンケアと同じく自然なものであり、不可欠な自前の装飾品だと誉めそやされ、受け入れられる。しかし、手足などの脱毛は隠れて、ひそかに行われるのだ。こちらの毛は、誇りとは一切関係がない。追放あるのみ。

女性の髪が誇りの種になる一方、その他の部分の体毛は大問題で、時として恥の原因になる。やっかいな逆説である。男も女も、女性の体毛の八〇から一〇〇％を取り除かなければいけないなどという考えを抱いたのは、一体、いつ、どこでだったのだろう？

アメリカ人男性のほとんどが、女性の体毛を魅力的だと思わないように刷り込まれていると言っても過言ではない。アメリカでは、女性の体毛は事実上触れてはいけない話題なのだ。大人になってから、わきの下や足の毛を剃らないヨーロッパの女の子をネタにしたジョークを聞いたことがある。そうしたフランスやイタリアの女の子は女性らしくないとされ、不潔だとされることすらある。さらに、アメリカでは、「わきの下」は、汚くて臭うような町や集落を指す言葉としても使われている。

ガンのせいで乳房を失うことの他に、髪の毛をなくすことほど女性を打ちのめすものはない。女性の身体のどの部分と比べても、これは話が違うのだ。若かったころ、女性が足を広げているフランスの有名な絵で、陰部の毛が見えているだけでなく、大胆に生えているのをチラッと見たことを思い出す。あの絵はエロチックだったし、美しかったし、感動的でもあった。一九世紀はマーキンが発明された時代だ——マーキンとは、発疹チフスによって陰部の毛が抜けた女性がつけることを余儀なくされたつけ毛だ。今も、ハリウッドの映画製作現場でヌードシーンを撮影する際に使われている。

では、女性の体毛を毛嫌いするとはどういうことなのか?

すでに書いたように、今日のヘアサロンの多くは、トータルなヘアケアサービスから、部分的な脱毛、完全脱毛まで、あらゆるサービスを提供している。顔のうぶ毛剃りから腕の脱毛、電気を使った脱毛からビキニ・ワックス、ブラジリアン・ワックスまでありとあらゆるものを含む。もちろん、恥骨やお尻も対象だが、隠語で言えばレーシング・ストライプとか、ランウェイと呼ばれる部分は対象外だ。

ビキニ・ワックスは長持ちしない——ヘアは、あっという間にと言っていいほどすぐに生えてくる——もので、美的な理由や、人の目につくからという理由で行われることが多い。女性が肉体的な痛みを伴うブラジリアン・ワックスを行うのは、通常は、恋人を喜ばせるためか、恋人がそちらを好むからだ。

改めて、特にブラジリアン・ワックスを、セックスと生殖の区別につなげて考えてみたい。これは娯楽としてのセックスを称賛することであって、それ以上のものではない。出産を超えるほどの、自然で、純粋に肉体的かつ究極の人間らしさを感じる経験をしたという女性は、まずいない。しかし、頭髪以外にまったく体毛がないことをひけらかす女性が多々遭遇するのは、そうした女性を理想的であるとしながらも、男とは正反対な異質なものとして受け止める男どもだ。そうした男どもを好きなように非難するのはかまわない。だが、女性が迷惑な理想を押しつけられるのは、女性にもその責任があるといえる。そうした理想が、大勢の女性にとってしっぺ返しになってしまっている。

突き詰めれば、歳を取ることに抵抗するベビーブーマー世代が若さに執着する文化において、多くの女性は白髪になることを恐れている。白髪もさまざまだから、人よりも白くなってしまう人には同情する。しかし、権威に反発して育った世代は、過ぎ去る年月を受け入れるには複雑な心境で時を過ごしている――自分自身が権威になってしまうということだからだ。私や友人の両親たちが、そうした問題を抱えていたのかどうかは覚えていないが。

理想的に待たれるのは、人目をひくほどの美しい白髪をしたモデルだ。そのとき、白髪は突如、新たな金髪として受け止められることになるだろう。そうした女性は、快く、安堵と共に受け入れられるはずだ。それまでは多くの女性が、白髪は女性らしさと美しさであるとする理由や正当性を探し求めて、右往左往するのだろう。

通りや地下鉄の駅で、すばらしい白髪をした女性をみかけることがある。その女性に近寄って、とても印象的だと声をかけることも多い。で、立ち去る。人ごみにまぎれて、彼女の視界から退くのだ。だから、この女性が私の言葉を曲解することはない——彼女の髪だけでなく、ありのままの彼女を心から称賛している。

これが私のメッセージだ。

16

フェイスブック、ブログ、ツイッター

フェイスブックと女性

なんてこった。フェイスブックのアカウントを作ってしまった。

プロフィール写真は他の人のと代わり映えしない。小さなプロフィール写真を除けば――白髪交じりのあごひげと、頭のてっぺんに小さなひげがある写真。写真の下には、関連する個人情報がある。交際ステータス（交際中）、誕生日（一二月二三日）、居住地（ニューヨーク）。よかったら、メールを送ってほしい。ウォールに書き込んでくれてもいい。個人的なメッセージを送ってくれても、プレゼントをくれてもうれしい。あるいは、私のアルバムを眺めてくれてもいいよ。ほとんどは、アメリカや世界中のホテルの部屋から撮った雑多な写真ばかりだが。

私は、ソーシャル・ネットワークとかキャリアネットワークの九五％には、参加していない。リンクトインやツイッターもだ。ツイートは、人生で不要なデジタルの娯楽が一つ増えただけのものだから。だが、今後、この考えを変える権利はキープしておく。携帯電話のメールを送ることは学んだ、これは効率的だと思った。それでも、フェイスブック現象が何たるものか知りたくなったのは今年だが。

詳しくご存じない方のために、フェイスブックは二〇〇四年にハーバードの二人の学生が始めたソーシャル・ネットワーク・サイトで、非常に人気がある。当初の目的は、カレッジの学生が他のカレッジの学生と知り合いになることだった。それが広まったのだ。今や、世界でおよそ二億五〇〇〇万人がフェイスブックを使っている（二〇一一年六月現在の登録者数はおよそ五億人）。

フェイスブックの仕組みを真剣に気にする人なんていない。アカウント保持者はそのプライバシーが調査されることになるのだが――このサイトは、ユーザーがアカウントを削除した後もその情報を保存し、個人情報の一部は第三者の開発業者が利用できるようになっている。以来、フェイスブックはプライバシーポリシーを明確にしている。とはいえ、基本的に、あることのために設計されたテクノロジーは、当初の目的以上に広い範囲で影響力を及ぼす別ものに転換されるものだ。

アメリカの約一億一〇〇〇万人――人口の三六％――は、ソーシャル・ネットワークの常連だ。フェイスブックもおよそ七八〇〇万人のユーザーが常時利用している。われわれの目的に合わせて、ここでは少なくとも月に一度はログインする人をユーザーと定義しておこう。フェイスブックで最も急増している層？　五五歳以上の女性――この層の人数は、このサイトを利用する五五歳以上の男性のほぼ二倍に上る。特に、既婚女性が大挙して登録している。ほぼすべての年齢層で、フェイスブックは男性よりも女性に浸透している。現在、フェイスブックのアカウント層の五六・二％が女性で、去年の五四・三％から増えた。最近の『ビジネス・ウィーク』の記事では、すべてのソーシャルメディアは女性が中心になっていくだろうと予測していた。

その通りだと思う。

逃避としてのソーシャル・ネットワーク

すでに書いたことだが、二〇世紀の大悪人はフランク・ロイド・ライトとヘンリー・フォードだ。どちらも、人間が物理的に移動できる距離を無秩序に広げてしまったという意味で。私が思うにフェイスブックは郊外化と自動車が間接的に生み出したものだ。世界が脱都市化し、人びとが一層拡散していく一方で、われわれは友人や家族と接触し、つながるという人間としての基本的なニーズから逃れられずにいる。

二五歳になるまでにいくつもの異なる寝室で暮らした者として、共通点が一つしかなかったり、再び連絡を取るような手段もなかったような過去に、フェイスブックを通してまたつながれるとは感激だ。フェイスブックは、人生におけるささやかな関係と呼ぶものを育て、維持するための手段である。

フェイスブックを使い始めたとき、素性を隠してフランシスという洗礼名を名乗ろうと思っていた。すぐに思い直したが。もし、誠実にソーシャル・ネットワークをするつもりなら、匿名を避け、よく知られている自分の名前、パコを使うべきだからだ。これには、エンバイロセルの熱心なファンが現れて、翌朝、メールボックスに友達リクエストが届くはめになる可能性があったけれども。

私はフェイスブックにたくさんの情報を書きこんでいない——大体は私が見たり、読んだりしたものについて、一言二言書くくらいだ。次に予定されている出張のせいでぼやきたいときは、二、三週間の旅程をポストしておく。それに対して、六カ国語で友人の反応が返ってくるだろう——フランス語、スペイン語、セルビア・クロアチア語、ポルトガル語、ヘブライ語、それにロシア語。

ソーシャル・ネットワークの面に関しては、フェイスブックを始めた多くの人と同じく、記憶に残る名前や顔はたくさんある。かつて友達だった人。昔のガールフレンド。人間の心理には、必ず、ふられたりダメになった恋愛を探し出したいという強い関心がある。小柄で精神的に不安定だったカレッジのクラスメートは、今でもねずみのように臆病なのかを調べるのも、おもしろかったりする。

私にとって、おそらく多くのユーザーにとっても同じだろうが、フェイスブックはある種の逃避だ。自分の個人的なケーブルテレビを見るようなものだ。長期連載のマンガや、ビクトリア時代に人気のあった連続小説に例えてもいいだろう。フェイスブックは、われわれの生活において、主要なものとなりつつある。この魅力は、人間が持つ逃げたい、あるいは一時的に消えてしまいたいという願望からきているものだと思う――配偶者が寝てしまった後に、カレッジ時代の古いクラスメートに長いメールを書いている人にしても、小さな町に住む一〇代の子どもがマンハッタンに住む華やかな友人に話しかけているとしても、孤独を感じている人妻が地球の裏側に住む小学校以来の友人とやりとりしているにしても。

私の場合、友人のフォトアルバムを夢中になってながめている。誰かが自分の顔にカメラを向けて写真を撮るときは、その瞬間はその人にとって何らかの意味があるということだから。フェイスブックに写真をアップするのは、プリンターでスキャンしてコンピュータに取り込むとしても、カメラからアップロードするとしても、時間も労力もかかることなのは自明の理だ。私のフェイスブックの友人の一人は、アメリカ中のヘンテコで奇妙な文字の看板を撮りまくっている。別の友人が撮るのは、アメリカ中の教会の外看板の写真だ――〝罪人よ、悔い改めよ。さすれば救われん。イエスのクリスマスカードを受け取ったか?〟とか。プロフィールと一緒に写真を載せておけば、よくできた簡潔な履歴書のできあがり。それを見れば、これは誰だ、とか、場合によっては、どういう人だと思われたいのかが分かる。

同時に、フェイスブックは少し物悲しくて、むなしくて、ぞっとするように感じることもある。友達リストの何人かに対して、私はハガキや手紙を出すことはないし、メールをすることも、電話をかけることもない。彼らの住む街に出かけたとき、招待に応じて訪ねていくこともない。本当の友人なら、連絡を取る手段としてフェイスブックを利用することは絶対にない——電話をかけるか、メールを送るかだ。ここで、問いかけられるわけだ。デジタルなソーシャル・ネットワークのメンバーである、ここに並んでいる男女のうち、友人なのは誰ですか、と?

経験からくる屁理屈はさておき、フェイスブックには絶対的な利点がある——特に、今日、あらゆるウェブ・ベースのソーシャル・メディアの最前線にいるような女性にとって。

フェイスブックにアカウントを作った女性は、例えば、実際の交流とは対照的に、一所懸命にリレーションシップを作り、発展させる。女性の場合、男性以上に家族の写真をアップしたり、子どものことを書き込んだり、日々の生活やペットについて投稿することもある。女性のフェイスブックを見ていると、毎年、クリスマスの時期にポストをいっぱいにした友人からの手紙を思い出す——ビリーは家族との休暇でピュージェット・サウンドに出かけたとき、三キロ弱のサケをつかまえたとか、マリッサは神学校での一年目を楽しく過ごしているとか、わが家にはコーギーの子犬二匹がやってきて、レノンとマッカートニーと名前をつけたとか。

新米ママにとって、フェイスブックはオンラインのサポートシステムだから、他のママたちと赤ん坊についてやり取りすることができる。赤ん坊を持つのは孤独な経験なんだからと、よく聞かされるし、他の人に、そのやり方で大丈夫だといって欲しいのだ。順調に育っているわよ、と。

ベビーセンターが最近行った調査では、質問を受けた女性の六三％が、積極的にソーシャル・ネットワークを利用していると回答した。これは、二〇〇六年に行われた同様の調査から一一％も伸びている。

だから、フェイスブックは過去（あるいは、いくつかの過去）を取り戻し、孤独を解消するための手段だと考えていいだろう。混乱してわけがわからなくなった新米パパや新米ママであろうと、恋人が軍にいる女性であろうと、フェイスブックを使えば、その苦しみや状況をわかってくれる誰かとつながることができるのだ。あたかも、家にいながらにして参加できる自助グループのようだ――アルコール中毒者自主治療協会の支部のように機能している。

中年の女性が一〇代の子どもを通してフェイスブックを知るというのは、大いにありうる。きっかけは、子どもがネット上でも安全かどうかを心配していたのかもしれないし、あるいはただ単に、思春期の娘や息子が二階に消え、ドアを閉めてしまう理由を理解できなかったということかもしれない。ママがフェイスブックのアカウントを作ることにしたとき、若干の嫌悪感や「しまった」を連発したに違いない……その後はパパも同じことをしたはずだ。

年輩世代が青春の象徴を吸収しようとすると、その象徴が意見の衝突を招くことは多い。フェイスブックはそうはならなかったが。これは今でも青少年たちにとって欠かせないサイトだ。少なくとも、次の流行が登場するまでは。高校生たちは友達の数を自慢するが、これは一〇代のステータスだからだ。青年も、ネットでつながっている他の青年に向けてデジタルな自己紹介をする。こうして、私の友人の一〇代の娘はこの間の八月、船に乗ってマーサズ・ビンヤード島にでかけ、島の仲間になった。それでも、フェリーが桟橋に入るころ、お互いに面と向かって話すことがたくさんあったのかどうかは別問題だが。

男性とフェイスブックは、どうだろうか？　三〇歳を超えた男性、特に既婚男性なら、そもそもソーシャル・ネットワークにあわてて参加しようとは思わない（リンクトインは別。これはビジネス上のネットワークにフォーカスしているものだから）。その理由は、おそらく、次の言葉――「ソーシャル」と「ネットワーク」――が、こうした男性がずっと感じている結婚生活への不満を想像させるからだろう。目を泳がせることもあるかもしれない。フェイスブックは出会い系サイトとは違うことがわかっていても、男性の多くはプライベートに触れないようにしがちだ。その代わり、趣味や最近読んだもの、好きなもの、仕事に関わる話題について書き込む。あるいは、ＹｏｕＴｕｂｅで偶然見つけたスティーヴィー・レイ・ヴォーンのすばらしいソロ演奏をアップすることもあるのかも。

ブログと読書の関係

私は毎朝、あるブログを読む。これを書いているのは、クリスティン・レーナーという小説家兼養蜂家兼堕落したカトリック教徒であり、私の古くからの友人だ。Sort Quench & Dumpというサイトだ。中身としては、さまざまな事実に即した話やしゃれた小話、蜂や聖人に関する洗練された議論、その他、クリスティンがその日に気に入ったことなどだ。クリスティンのブログを読むことは、一杯目のコーヒーを手にして、楽しむ日課である。

ブログは、「ウェブ」と「ログ」を縮めた言葉で、アメリカ人女性のインターネットユーザーの間で最も影響力を発揮しているソーシャル・メディアの一つだ――最も人気があるというわけではないが（その栄誉はフェイスブックが受けるはずだ）、「影響力」は最大だ。およそ四二〇〇万人のアメリカ人女性が、毎週のようにソーシャル・メディアを利用している。それはネットワークということもあるし、ブログを書く、あるいは読む、またはコメントするということもあれば、メッセージボードにコメントを残したり、ステータスを更新したりということもある。

ソーシャル・メディアに関するある研究によれば、一八歳から七五歳までの一億四〇〇万のアメリカ人女性は、少なくとも週に一度、情報を投稿するなどインターネットを利用しており、女性の五五％は、何らかの形でブログを使っているという。この同じ研究から、ソーシャル・メディアを利用する一二〇〇万人がブログに投稿し、それ以外に八〇〇万人が自分のブログを持っていることがわかっている。この結果がいやでも示していることは、ブログを読む女性たちは従来の報道媒体をじっくり読まなくなっているということだ。例えば、アンジェラは私のアシスタントで二七歳だが、国内外のニュースはもっぱらインターネットから仕入れている。女性は、自己表現やコミュニティ、ありきたりの昔ながらの楽しみのためならソーシャル・ネットワークを駆使するが、なんらかの情報やアドバイス、あるいはオススメを聞くためなら、お気に入りのブログで探す傾向がある。

男性が書いたり、読んだりするブログよりも、女性のブロガーやブログ読者の方が多いのはなぜだろうか？　思うに、男性よりも女性の方が本を読み、日記をつけるというのと同じ理由ではないだろうか。男性よりも女性の方がカーテンを閉めて、別世界をタイム・トラベルする時間を持つのが好きなように見える。当然、必ずということではないが、女性は男性よりも本を読む時間が長い。そうでないとしても、女性は常に時間を作ろうとしている。私は、多くの男性が、本を読む時間などないんだと高慢に言うのを耳にしてきた――自分で考え、想像し、処理するといったことではなく、活発で過密スケジュールながらも何かをしていることを表彰されたいと思っているかのようだ。こうした元気のある人に幸あらんことを。

それでも、女性は小学生のころからずっと、集中し、じっくり考え、ただ静かに座っている能力を持ち続けていると思う。そうした能力は、多くの男性には備わっていない。オンラインであろうとオフラインであろうと、読むという行為には、女性の方が男性よりも熱中してきた。座って行うことだし、瞑想だし、私的な行為でもあるからだ。受身的（ほめ言葉のつもりだ）だし、社会が後押しし、許容できる数少ない反社交的行動の一つでもある。

ブログはそもそも本来的に思慮に富んでおり、内心を吐露し、本質が込められたものだ。究極的には、浄化である。

そうはいっても、情報を提供する、秘密を共有するという意義があるとしても、ブログは見せしめの場ともなる。若い女性がかつての恋人を激しく非難したり、悲惨な結果に終わった一晩だけの関係を分析したりするブログについて聞いたことがある。そうしたことを友人に話す男も多いかもしれないが、あえてネットに投稿するだろうか？　自尊心に関わる問題をさらけ出すような女性ブロガーにはすでに読者コミュニティができあがっており、彼女が書いたことに納得し、次なるエントリーを心待ちにしている。顔の見えない一〇〇万人の読者に自分の感情をさらけ出すことは、一人の聞き手に明かすことよりも、往々にして簡単なのである。

ドットコム業界が崩壊した二一世紀初めに登場したブログのことも覚えている。フィリップ・カプランという男性が立ち上げたもので、F***dCompany.comというものだった。人気のあったビジネス雑誌『ファスト・カンパニー』のもじりだ。低迷したり失敗したりしたドットコム企業や解雇、閉鎖を時系列に並べたものだった。不満に思ったり、びっくりしたりした従業員は、上司が送りつけてきた書簡などをカプランに転送し、それがネット上にアップされたりしたのだった。いくつかは、我を忘れるほどおかしかった。カプランは、あれやこれやの企業の終焉を時系列に並べるだけではなく、その合間に、交際していた当時のさまざまな女性との失敗談も詳しく書いていた。どうやら、彼を無下に扱った女性ばかりだったようだった。彼は書籍として出版する契約を結んだのだが、F***dCompany.comはもはや存在していない。

ここにブロガーのもうひとつのモチベーションがある。新人の著作を出版するというリスクを負うつもりのない出版業界にとって、わかりやすく訴えるブログや、ちょっとした仕掛けのあるブログは、真価のほどがわからない著者と読者をセットで提供してくれる。『ジュリー&ジュリア』はブログとして誕生したが、後に書籍になり、去年にはメリル・ストリープ主演の映画にもなった。これは、大成功を収めた数多くあるブログの一つだ。

ソーシャル・ネットワークとショッピング

ソーシャル・ネットワーク・サイトはショッピングの世界にどう影響するのだろうか？　これについて、二カ所ほどで観察してみた。第一に、ブログはブランド名を売り出すインフォーマルな方法だ。日常的なうわさの出所ということだ——インフォーマルでありながらも効果的なウイルス的マーケティング手法であり、従来のマスコミ広報に新たな脅威をつきつけている。フェイスブックの友達のなかに、コロンバスの高級ファッションストアで働く若い女性がいる。彼女の皮肉っぽい投稿はブランド礼賛のものが多い。「結婚は結婚でしかないけど、シャネルのバックストラップパンプスは永遠よ」

新聞や雑誌をさしおいて、二〇代の女性に選ばれたあらゆるソーシャル・ネットワーク・サイトは、そうした女性は決して見ることのないニーマン・マーカスやメーシーズの広告、CMばかりのテレビ番組、決して聴くことのないラジオ番組に取って代わった。最も影響力の強い最近のブログが、伝統的なマーケティングプランの経済学を転換させたとしても不思議ではない。ソーシャル・ネットワーク・サイトが提供するのは、ほぼ途切れることのない、次から次へと登場するコンテンツに消費者が手を加え、広めることができるスペースである。そう考えると、われわれのなかのどれくらいの人数がＹｏｕＴｕｂｅを閲覧してまわるのだろうか？　それよりは、誰かから転送されたビデオを見るのではないだろうか。こうして、ソーシャル・ネットワーク・サイトは、これまでのようなマーケティングプロセスをうまく回避し、その際、往々にして、すべての人の話題に上るようにしかけているのである。

私のフェイスブックの友達には、地元の店で店主として働いている人が二人いる。その店で何回か開催しているワインの試飲会に、週に一度は招待される。近隣の住民と接触することで、彼女たちは仕事に役立つネット上のコミュニティをうまく作り出しているわけだ。そうしたコミュニティが、効果的な口コミとなる可能性を秘めているからだ。その意味で、ソーシャル・ネットワーク――ツイッターもこのカテゴリーに入る――は結局のところ、平等化を進めるすばらしいツールだと言える。街角にある小さな家族経営の店でも、スターバックスやホールフーズに負けないくらい、何度も騒々しくツイートすればいいのだ。マーケティング担当者はフェイスブックのページを開設して、新タイプのミニクーパーや、よく知られていない新しいスタイルの女性用パジャマのすばらしさにスペースを割くことができる。どちらも相対的な比重としては同じだ。繰り返しになるが、ソーシャル・ネットワーク・サイトの究極の効果は、店舗や製品、記者などが、お金をかけることなく即座にアイデアや製品をマーケットに持ち込むことで、従来の販売ルートを省略できるという点にある。

例えば、ヘザー・アームストロングという女性は、Ｄｏｏｃｅというブログを開設している。毎日およそ八五万のアクセスがある。「デュース」と発音するこのサイトが取り上げるのは、現代の母親業が経験する喜びや悲惨な体験だ。その書きっぷりは、スラングが多く、おちゃらけや憤りをぶつけたもので、ときとしてめちゃめちゃにおかしい。Ｊ・Ｃ・ペニーやクレート・アンド・バレル、ウォルグリーンなどは、このサイトに広告を載せている。これが大成功して、ヘザーも彼女の夫も仕事をやめてしまったほどだ。女性をターゲットにしたサイト――いわゆるママブログからファッションや化粧品のサイトまで――は、二〇〇八年、三五％も増えたことを認識してほしい。政治を別として、女性向けのカテゴリーは、インターネット上のすべての検索用語に影響を与える。女性は家庭における決定権者であることを認識している企業は、これにかなり注目している。新聞の購読者もテレビの視聴者も減っている現在、一家の買物責任者である女性の力を理解しているマーケティング担当者は、これを明らかな方向転換の端緒とすることができるだろうか？

そうなれば、うっそー！　という事態となるに違いない。

あとがき

二〇〇六年春、私はドバイの海岸沿いにあるホテルに宿泊し、ショッピングモールについての会議に参加していた。ホテル側は毎晩、何カ国の宿泊客がその日にチェックインしたのかを書いたメモを部屋に残してくれた。三日間の滞在中に、その数が八〇を下ることはなかった。二一世紀におけるある瞬間が表れていることが、はっきりした記憶として残った。最上階の部屋から階下に行くエレベーターに乗っていたとき、ロシア人だと思われる家族が乗ってきた――男性とその妻だと思われる女性、一〇代のお嬢さん。海岸に行くところなのだろう。男性はスピードの水着とタンクトップを着ていた。白い腹ははみ出し、足元はサンダル履きで、長くて不ぞろいなツメが丸見えだった。ビキニを着た奥さんの方はそれより数キロ重そうで、いかめしい感じだった。それでも、透ける上着を羽織っていたことは彼女のために言い足しておく。娘の方はやせっぽっちで、水着とTシャツを着ていた。彼ら三人が寒い国を抜け出して、日焼けをするためにいそいそ出かけるところなのは間違いなかった。アメリカ南西部では、彼らのような人のことを避寒客《スノウ・バード》と呼ぶ。

エレベーターは一つ下の階でまた止まり、同じような年齢層と同じような構成の中東系の一家が乗り込んできた。だが、着ているものや立ち居振る舞いは大違いだった。男性は仕立てのよいスーツを着て、厚地のブロケードのネクタイを締めていた。娘は長袖のパンツスーツに襟の高いシャツを着て、育ちのいいイスラム教徒の若い女性らしく、頭にはスカーフをかぶっている。母親は絹でできた黒のチャドルですっぽり覆われている。この二家族が乗って、エレベーターが下に向かう間、彼らはお互いを見ないようにしていた。その対照的なことと言ったら。一階でドアが開き、われわれ七人が一列になって出ようとしたとき、チャドルを着た母親が向きを変え、私の方を向いた。彼女の目元——唯一見えていた部分——は美しく化粧がされていた。その目はマジックミラーごしであるかのように私をじっと見ていた——謝罪もなければ、慎みもなかった。女性が出口の方に向きなおったとき、チャドルが彼女の周りでふわりと浮かび、その身体の動きから、私は、彼女がその下に何も着ていないことを直感した。女性は行ってしまい、かすかな残り香がただよっていた。

私は、エレベーターの中で凍りついたように立ち尽くしていた。品定めされ、異文化教育を受けさせられたのだ。あらゆるものが見た目で判断できるわけではないということだ。

社会が変わるさなかにあっても、われわれのホルモンや生物学的な遺産は引き継がれている。狩猟採集民としてのプログラムは、今も組み込まれているのだ。生物学から離れて、限界が検証されているところである。本書に取りかかっていたこの二年間、私はこのプロジェクトを半分皮肉を込めて、中年の域に入った男が女の子のことについて話すものだと説明してきた。流動的なテーマを説明するにはきわどいが。本書を読んで気分を害されたのなら、悪気はなかったということを知っておいていただきたい。私が言いたいのは、ジェンダーの進化は、種としてのわれわれを悩ませる多くのできごとの原因であると同時に、解決法でもあるということなのだから。危ういことではある。すべての結論が出るころには、私はこの世にはいないだろうから、ま、いいのだが。

初稿にあったいくつかの章は、最終稿から消えた。芸術と文化に関する一章は、他の章で登場することになった。建築から映画に至るまでの芸術が、世界的にも、未だに最もジェンダー差別を残している制度の一つであるとは、皮肉ではないか？　メジャーな女性映画監督を数えるには、片手で足りる。世界中の有名な美術館に目を向けてみよう。そのコレクションのうち、女性の芸術家の作品は一〇％にも満たない。出版とユーモアの本質について一章書いたが、どちらも、本書以上に紙面を割き、じっくり考える価値がある。私がコンピュータを使って必ずするのは、リン・ジョンソンのマンガ「善かれ悪しかれ」を読むことだ。ティナ・フェイと、二〇〇八年の大統領選挙の結果に彼女が果たした役割は評価するが、家族をテーマにしたリンのコミックマンガには心地よい居心地の悪さを感じさせられる。これが、ジェンダーの垣根の向こう側へと誘ってくれることが多いからだ。

私はリトマス紙という考え方が気に入っている――種としてのわれわれの現状や今後を判断す

る確かな手段となるからだ。今、私が注目しているのは二つだ。一つは、男女の友情を進化させる方法、特に個人的にも仕事の上でも、どうやってお互いに好感を持ち合い、付き合っていくのかということ。もう一つは、従来のジェンダーの役割分担が大幅に変更された組織の行く末だ。男性の上司と女性の秘書が絶対的なものでなくなったら、どうなるのだろうか？

一つ目の友情について若干補足してから、模範となる組織についての見解を続けよう。模範組織とは、つまり米軍だ。

父やそれ以前の世代にとって、ジェンダーは文化的な境界線だった。その境界を越えてしまう人もいたが、大多数にとっては、越えがたいものだったし、厳然たるものでもあった。父が、母や家族以外の女性と忌憚のない話をしたり、あるいは口論すらしているのを見かけたことはない。父に女性の友人がいるとしても、それは母の友人だったり、同僚の奥さんだったりした。女性と会うのは、たくさんの人が集まる交流の場でだった。上級外交官であった父には、どの役職であっても、必ず秘書が一人ついていた。その女性がわが家の夕食にやってきたことは一度たりともなかったし、父が彼女をファーストネームで呼んで、彼女の話をしたこともまったく記憶にない。社会的なジェンダーの壁が崩れていると気がついた子どものころのことで、唯一記憶に残っているのは、マレーシアのクアラルンプールでホームパーティをしていたときの話だ。そのパーティで、有名な中国人作家である韓素音《ハン・スーイン》が母に、フランシス（父だ）に私と駆け落ちしようって言ったのに断られたわ、と話したことだ。母は何がおかしいのかわからなかったが。

私は、女性の親友を持つことが認められた第一世代に属する。高校生の頃からの友人もいる。もう四〇年以上も知り合いだということになる。ハグしたり、笑ったり、愛情を感じたり、ときにはいじわるなことを言ったりもしたが、それでも、それぞれの人生だという重要な分別は持ち続けている。彼女たちの夫や恋人のことを知っているし、子どもたちの名付け親にもなった。この関係の根本的なつながりは明らかだ。この男性もこの女性も、友人だということ。彼女たちの人生に存在した男性をうらやましいと思ったことはない。まれに、同情することはあったが。

女性の友人を持てるということには、ある種の心地よい距離感を伴うことが多い。折り返しの電話がかかってこなかったり、約束が破られたりしても、終わりということにはならない。数週間、ときには数年離れるようなことがあっても、問題ない。再会できればうれしいし、たいていの場合、会っていなかった間の穴埋めをすることはできる。説明を加えたり、会話を交わしたりしながらお互いの人生における根本的な関係を補うのである。

私はショッピングに関するリサーチ業界で働いている。この業界には元気と能力のある女性がたくさんいる。従業員の三分の二は女性だし、エンバイロセルの海外事務所のパートナーのほとんどは女性だ。そうしたパートナーや従業員と一緒に、飛行機から降りたり、搭乗したりしてきたし、報告書を提出するために夜遅くまで働いたり、時には共に祝ったりした。仕事の会話をすることも、私的な会話をすることもあるが、どちらも途切れることはない。感情的なことはないのかって？　心の悩みはご法度だ。正直、信頼、理解が最も大事なことだから。つながることができれば、誠実なコミュニケーションができる。

この時代において、男性が、セックスの関わらない友人関係を女性と築くなど、そもそも可能なのだろうか？　同様に、一世代で可能になるものだろうか？

これを明らかに促したのは、ありとあらゆる性的好奇心が重要でなくなったことだ。避妊——と、避妊のおかげで経験できるようになった多様な性のあり方——のおかげで、こうした多くの友人関係から「もし」の要素を考えずにすむようになったからだ。何人かの知り合いの男性は、二〇代そこそこで大学時代の恋人と結婚するはめになった。彼らは、どうにかこうにかして、どうやってなのかは聞かないでほしいが、現代の社会的、文化的状況のなかで、そこそこ満足して役割を果たしている。こうした状況では、性的な比喩や当てこすりはどこにでもあるし、セックスは生殖から切り離されただけでなく、娯楽と同じ意味を持つようにもなった——責任を求められることはないし、当然、パンパースも赤ちゃんの腹痛も起こらないのだから。

確かに、友情が何か他の形に変わる場合はある。だが、それはルールではなく、往々にして例外だ。逆の場合もある。交際関係として始まったものが行き詰る場合。何か違う。手を引いて、終わり。あるいは一歩引いて、違う形で関係を続けることにしよう。

要は、性を感じさせたり思わせぶりな雰囲気はなくなったということだ。わずかたりとも。ささやくことすらない。挨拶やさよなら以上のスキンシップは、偶然にすぎない。これには何の問題もないと思うのだが――どう思う？　普通のことだし、自然だし、歓迎してもいいくらいだし、すてきなことではないか？　自分の人生に女性が関わっているおかげで、どれほど楽しく過ごせているか、どれほど感謝をしているか、どれほど恵まれているかを実感するとき以外は、あまり考えたことはないのだが。父が、結婚相手以外の女性や、恋愛関係にならなかった女性、血縁関係にない女性と友人関係になるという経験をしなかったのは、信じられないようなことだ。

ジェンダーの本質が誤解され、歪曲されうるような根本的な複雑さは未だにある。男性は暴力的になることがあるし、実際に暴力的だ。ジェンダー別に自我を比較してみれば、男性の自我は断然、繊細である。平等を求めて奮闘するというものではない。代わりにわれわれが求めるのは、バランスである。人間の性質の男性的な部分と女性的な部分の両方で、しっくりくる感覚を得るにはどうしたらいいのだろう？　服飾に関しては、ほぼすべての女性のクローゼットに、男性を想定して縫製されたものがあることはすでに書いた――ジーンズのジャケットやセーター、スウエットパンツ、あるいは、靴。男性のクローゼットについて同じことが言えるだろうか？

父の世代と私の世代は同じではない。だから、ジェネレーションYとジェネレーションXはそれぞれの変化を築き上げていったのだ。市場調査を行う際、われわれは新たな社会集団を追加しなければいけなくなった。これまでわれわれ人間は、単身者や既婚者、核家族か複数世代家族、あるいは友人同士――同性の集まり――で、人生を歩んできた。このリストに、男子と女子が一緒に歩むという単位を追加しなくてはいけないのだ。この一〇代の一群がどのように進化するかが、私見ではあるが、われわれの社会の未来を決定づけていくのだろう。

私は従軍したことはない。ベトナム戦争当時、私は学生で、軍がくじ引き制を導入したときの番号は二一七だった。私の政治的傾向はリベラルで、社会的性向は自由主義者だったと思うが、他の男どもと同じく戦史には興味があった。私の話はうのみにしないでほしいし、大目に見てもほしいのだが、そうしたすべてがショッピング業界につながっていく。

アメリカ海軍は船舶がすべてだし、空軍は航空機とテクノロジーがすべてだ。米陸軍は兵士と国民からなっており、それゆえ、アメリカン・カルチャーにおいて自由化を促した原動力の一つになった。軍は、人種的偏見がまったくない最初の組織であり、性別偏見のない組織になるための一歩を踏み出した最初の組織でもある。将校から下士官兵に至るまで、今日の米軍は、アメリカを構成する幅広い民族的、人種的様相を反映している——黒人の隊員からタスキギー空軍兵に至るまでのアフリカ系アメリカ人が長年受けてきた不公平や偏見に対する強力な解毒剤だ。ハリー・トルーマン大統領が一九四八年、連邦が雇用する場合における人種差別を禁止するという大統領令に署名したおかげである。これは一九五四年になるまで発効しなかったが、彼の偉大な業績の一つだ。軍のトップでは、確かに政治やえこひいきが絡んでくるだろう。だが一度入隊すれば、ある階級に到達するまでの昇進は、実績に基づいて決定される。同一労働同一賃金であり、給与体系も透明性が高いものとなっている。

米軍が所属人員数や予算規模という点で、西洋随一の組織だと考えれば、最初のアフリカ系アメリカ人の統合参謀本部議長としてコリン・パウエルが誕生するまでに三五年が必要だった。これまでわれわれが人種に関連して経験してきたことは、今、ジェンダーについて経験しているのと同じことだ。一九七二年、四三七あった米軍の職務のうち、女性に開かれていたものは、わずか三七だった。一九七三年春までは、三五のポストを除きすべてが女性に門戸を開いた。私のよき友人であるケイト・ニューリンは作家兼ショッピング・アナリストだが、そうした過渡期に幹部候補生学校に通っていた。彼女は今でも、任務についていたときのことをよく覚えている。「軍の目標は二つだけなの。ミッションをやり遂げること。国民を守ること。その順番でね。びっくりするような訓練だったわ」

ある女性の友人は、ミネソタ州の家族農園から逃れるために、一八歳で軍に入った。軍は彼女を看護学校に通わせ、任務が与えられたのは卒業してからだ。私が彼女に出会ったときは、米陸軍移動外科病院（ＭＡＳＨ）を管轄する少佐だった。第一に将校であり、看護師であるのは第二だったのだ。彼女の部隊にいた医師たちは、彼女の監督下にあった（看護師が指示を出すようになったら、民間病院での診察がどれほど変わるか、考えてみたまえ！）。彼女も、彼女の部隊も世界中に派遣されてきた。三八歳のとき、二〇年務めて退官したのだが、その退官式で中佐に昇進した。そのとき二人目が妊娠八カ月に入ったところだった。彼女は、妊娠して退官した初めての中佐は私じゃないかしら、と笑って言った。彼女の後にもそうした女性は登場することだろう。

どの組織においても、男性と女性の役割を整理するのはたやすいことではない。この数年間、部隊が中東に派遣されるたびに、子どもを国に残していかなくてはならない両親の話が琴線に触れ、難しい質問となって突きつけられてきた。スパルタ人が軍の最前線に配置したのは、成長した息子を見ることができた父親たちだったという伝説がある。そうした男たちには子どもを作るチャンスがあったし、子どもの成長を喜ぶこともできたからだ。戦闘が中年男性だけに限られたら、武力紛争はどのように変化するだろう？

米軍と、消費社会や男女間の政治闘争にはどういう関係があるのだろうか？　世界最大のこの官僚組織は、男女平等に向けて精一杯取り組んできた。青臭い怒濤のようなホルモンや脅威、貧困のさなかにあって、今日の重要な経験は三五歳以上であることだ。その経験は、アメリカのその他の主要な組織のどこにおいてよりも役に立つ。ウェスト・ポイントからイラクの戦場に至るまで、アメリカ軍において、女性はずっと優秀だったではないか。

重複するものをいくつか見ていこう。手始めはくだらないことから——強健な肉体とカモフラージュは、もはや若い男性の専売特許ではない。ファッションは常に軍服をまねてきたが、アウトドア・ライフスタイルの大枠のコンセプトは今や、間違いなくジェンダーフリーだ。スニーカーをはいて職場に行っても、履き替えればいい。L・L・ビーンやエディ・バウアー、ナイキといったこれまでのアウトドアの伝道者たちは現在、女性客が重要であることを認識している。遠く離れた土地まで運搬し、備蓄もしておくようなサプライチェーンのおかげで、ウォルマートは世界最大の企業の一つになり、最も成功したビジネスともなった。

だが最も重要なことは、男性も女性も危険にさらされているのだから、お互いについて学ぶことだ――そうした理解を家庭に持ち帰り、実践することである。

私は、男性側の主な失敗を挙げただろうか？　すでにわかっているとおり、男性の寿命は女性より五年かそこら短い。親しい友人も少ない。喪の期間が過ぎれば、夫をなくした女性は力強く生き抜いていく。一方、妻をなくした男性は生きがいを見失う傾向がある。男女に関係なく、驚くほど多くの知り合いが、自分たちの父親を対応力のない人間だったと記憶している。一世代経っても、多くの男性は行き当たりばったりで父親業をこなしているからだ。心理学のテキストは通常、男とは、父親とは、といった明確な定義をしていない。女性は、完璧な女性や母親の定義を求めて右往左往する。腹立たしいことだ。しかし、種としてのわれわれは男性に完璧さを期待していない。完璧さに対しては慎重になるほどだ。子どもの時分から、女性には、こうした自由も贅沢もほとんど認められてこなかったが。

市場調査を業とする者として、ある程度の男の作法から逃れていることはラッキーだったと思う。人と消費行動に関する予測不可能な行動に気がつき、処理し、コメントすることで生計を立てているのだから。私は典型的な男性かもしれないが、この仕事のおかげで、自分のジェンダーに対して、間違いなく慎重な姿勢が身についている。

本書を書いている間、私は自分の意見について多くの女性と議論した。彼女たちの反応には好奇心をかきたてられた。その一方で、多くの女性が、職場に女性が進出し、経済力が増大し、影響力が強くなっていることを歓迎している。

女性は、自分たちの力がこれまで無視されてきたということも理解している。子どもを育て、家計をきりもりし、懸命に働き、すべてをまとめあげる役目を果たしても、認められることはほとんどなかったからだ。女性は疑問を感じているに違いない。もう何年もやってきたこと以上の仕事をするはめになるっていうこと？

男として言わせてもらえれば、男性は、種としての男性を導いてくれることに対して、女性に感謝し続けるべきだと思う。

最後までお読みいただいたことに感謝する。

謝　辞

父方の祖母であるエディス・レイナーは一九一二年の秋、ヴァッサー・カレッジに入学した。カナダ人だった彼女の父親は、娘が悪党ばかりのアメリカに行くことを心配した。ヴァッサーがあるポキプシーは、ニューヨーク・シティから一四〇キロほど北にあるのだが。父親からの餞別は、握りの部分に真珠のついた二五口径のベレッタ（007モデルだ）だった。祖母はこれを四〇年間、ハンドバッグに入れていた。持ち歩いていたのは自動拳銃でも、彼女自身がピストルのように豪快な女性だったと思うと楽しくなる。

祖母はケントを吸い、バーボンがお気に入りだった。民主党に投票し、夫がフン族の王よりもやや右寄りだったにもかかわらず、とても愛していた。私は彼女を「おばあちゃん」と呼んだことは一度もない――彼女があまりにも威厳があるように見えたからだ。祖母について覚えていることは、彼女の強い正義感だ。祖母は、人の感情と正義とは矛盾する場合があることをわかっていた。そうした矛盾が、社会を進展させるのだ。幼い頃に分かるように説明してくれたことに感謝している。

国会図書館のリストには私の名前が著者として載るかもしれないが、本書は共同作業の賜物だ。ピーター・スミス、アンジェラ・マウロ、シェリル・ヘンゼは原稿を検討してくれた。それぞれ理由は違ったけれども。ピーターは楽しみながら協力してくれたし、関心も持ってくれた。アンジェラは細部に気を配り、若者の読者として読んでくれた。シェリルは、自分の大事なパートナーがどんなトラブルに巻き込まれているのか不安だったからだ。

ピーターと私は、有能で成功を収めた広い範囲の女性にインタビューを行った。そうしたインタビューは本書を書き進める力となった。ウェンディ・リーブマンとケイト・ニューリンは、小売とマーケティングの分析に携わる同僚だ。マーシャ・ウィルソンとロウリー・シムスは、アート管理とキュレーターとして一流の人物である。マーシャは、自分が連続殺人犯にならずにすんだのはアートのおかげだと言っている。パム・ディロンとマリー・アン・ウォルフは、出身国も業務領域も異なるし、正反対なのだが、どちらもビジネスウーマンである。パムは、かつて投資金融と大手の商業施設開発会社のCFOとして働いていた。メリー・アン・ウォルフは、カリフォルニア・ポリテクニック州立大学で農業経済学を教え、数年かけてマーケットリサーチモデルを確立させた。ジェニー・マール・ヴェルムは、ヴァッサーカレッジ時代からの古い友人で、映画会社の重役としてキャリアを積んでいたが、今はオーガニックファームの検査官をしている。ニーナ・プランクは、作家でファーマーズ・マーケットのマネージャーでもある。同時に、自然食材について講演してまわっている。彼女たちは全員、ある種の妖精のような側面を持ち合わせていると思う。人格的にも知性に関してもそうだし、私にはきらきら輝いて見える人たちだ。

本書は、サイモン&シュスターから出版する三冊目の著作となる。エージェントであるグレン・ハートレーとリン・チューに感謝したい。二人がこうしたつきあいをスムーズにしてくれたからだ。アリス・メイヒューは、また私の編集者になってくれた。彼女の編集仲間はカレン・トンプソンとロジャー・ラブリーだ。デビッド・ローゼンタールは出版社としての意見を伝えてくれた。改めて礼を伝えたい。

この一五年間、故郷の町とつながりを持ち続けるのはとても大変だった。私は年に一二〇日は出張に出ているし、二五万マイルも空を飛んでいる。気力のかけらも残っていないような状態で帰宅することが少なくない。人びとの生活に突然現れて、さっさと消えることになりがちだ。私がいなくなることを理解し、再び迎え入れてくれる人はそう多くはない。リップ・ヘイマンとジェフ・ヒューウィットはもう四〇年も、私の留守を守ってくれた。私には女性の仲間もいる——スーザン・タワーズ、エリカ・シェホフスキー、バーバラ・ポリット、ヘスク・キム、クリスティン・レーナー。

同僚は世界中にいる。時には頻繁に顔をあわせるが、年に一、二回ということもある。だが、会うたびに、まるでその前日も会ったかのように感じている。安心は身近にある。マーティン・リンドストローム、デビッド・ボッシャート、ジョセフ・グリエッティ、ホセ・ルイス・ヌエロ、小野寺健司、豊田一雄、ブルース・カーペンター、テリー・シューク、アブドラ・シャラフィ、ジャン・ピエール・バーデは、そのうちのごく一部だ。

エンバイロセルの私のパートナーは、クレイグ・チャイルドレスだ。彼が日々、砦を守ってくれなかったら、私は、今のような生活をすることも、こうしたプロジェクトを行うこともできるはずがない。

訳者あとがき

本書は、ショッピングやサービスに関わる現場にいかに女性が影響力を及ぼしているか、という視点で書かれたものです。消費者の行動をリサーチし、それを小売企業やメーカーなどのクライアントにフィードバックする業務に長年従事してきただけあって、筆者による消費者行動の分析には納得させられることが多々あります。特に、サービスを受ける側の女性の心理と、するどい分析は、筆者のこれまでの実績と適切な人に的確なテーマでインタビューを重ねたからこそでしょう。

読者はさまざまな小売やサービスの現場を筆者と共にまわっていきます。例えば、個人住宅、ホテル、電化製品やオーガニックフードなど生活に密着した小売現場、そしてバーチャルな小売現場、つまりオンラインマーケットなどです。そうした多様な業界の多様な売場のそれぞれで、筆者はプロの視点を余すところなく披露してくれます。一貫しているのは、自分が消費者であったら、この売場で買物をしたいか？　家族（特に女性の家族）にこの試着室やトイレを使わせたいと思うか？　といった、自分の身になって考える姿勢です。こうした姿勢は業界関係者やマーケティング担当者にとっては常識なのかもしれませんが、本書にもあるように、それが現場に生かされているかどうかは別の問題なのかもしれません。

筆者の分析は業界関係者やマーケティング関係者に有益な情報を提供することでしょう。ビジネスにつながるヒントを得られるかもしれません。業界関係者でなくても、消費者心理を日常的なシーンで解説した、気軽に読める心理学入門のようなものとして読むこともできると思います。読み進めるうちに、一消費者として「わかるわかる」と同感する場面に多く出会いますし、サービスを受ける側の意識とはこういうことなのかと、これまで言葉で表現することができなかったもやもや感をずばりと言い当てられたような、心地よさを感じることも多々あります。いずれにしても、楽しく読み進めていただきさえすれば、訳者としては心からほっとする次第です。

「世界のあちこちで、社会においても職場においても、女性の存在感が大きくなっている」と筆者は言います。これまで、世の中には男性と女性という二種類の性があるとされてきました。が、現代はそうした男性、女性という従来型の性の「境界線」を越え、自分らしさを追求して生きる人も多くいます。それを認識しつつも、以下は、従来の男性と女性という二分法による統計であることをお断りした上で紹介します。

本書には、「アメリカ人女性の約七〇％は外で働いている」とあります。七〇％は多いのか少ないのか？　正直なところ判断がつきませんでしたので、日本の数値はどうなのか、総務省統計局の労働力調査にあたりました。

すると、二〇一〇年の一五歳から六四歳まで（生産年齢人口にあたる年齢）の女性の労働力人口比率（一五歳以上の人口に占める、就業者と完全失業者を合わせた人口の比率）は、二五四四万人で六三・一％（男性は三四六二万人で八四・八％）で、就業率は、二四二〇万人で六〇％（男性は三二六六万人で八〇％）。ちなみに、二五歳から四四歳までの就業率は六六・五％。とすると、日本の状況はアメリカには及ばないとしても、そう大きくは変わりません。

しかしながら、実は、アメリカも日本もどんぐりの背比べです。男女共同参画局のデータによれば、二〇〇八年の日本の値として、二五歳から五四歳までの女性の就業率は七〇％弱で「OECD諸国の中でも比較的低い水準」とあります。こちらのデータを見れば、ノルウェー、デンマーク、スウェーデンでは、八〇％もの女性が働いていることがわかります。

考えようによっては、女性が社会で活躍する可能性は日本にもまだまだ秘められているということかもしれません。

本書には女性の建築家について述べている箇所があります。「一九七〇年以前に活躍した女性建築家を挙げるのは難しい。仮にいるとしても、それは、その女性が建築家の夫という後ろ盾を得たからにすぎない」というくだりです。女性が建築家としてやっていくには、同業者と結婚していないとだめなのでしょうか？

この部分に悶々としていたところ、ある人がこんなことを教えてくれました。アメリカの場合、一九七〇年以前は、建築家にかぎらず、働く女性はほとんどいなかった、と。例えば、これは弁護士の場合ですが、アメリカの第七巡回裁判所の資料によれば、一九八〇年以前に弁護士となった女性は、弁護士全体の五％もいませんでした（一九八〇年からの一五年間で二三％程度まで急増しています）。ついでに、米国の大学の法学部入学者に占める女子学生の割合を見ると、一九七〇年以前は一〇％に満たなかったのですが、一九七二年ごろから増え始め、一九八五年には四〇％ほどになっています。その一方で、マイノリティが学生全体に占める割合は五％前後です。一九八五年になっても依然として一〇％前後でしかないのは、なんともやりきれない気持ちにさせられます。もっとも、このデータの基盤となる地域や母数は不明ですので、そういう傾向がある、程度で受け止めておいてください。

先にも書きましたが、当初はこの女性建築家の〝謎〟がすんなり理解できませんでした。そんなとき、従来、男のものとされていた建築業界で女性が経験を積むにはなんらかの後ろ盾（最も手近な後ろ盾はおそらく父親で、その次が夫）が必要だったのは？　と示唆してくれた人がいました。今の時代、建築士になるには試験をクリアし、実務経験を積む必要があるため、そうしたコネクションはもはや有効ではありません。逆に言えば、実力があればジェンダーに関係なく活躍できるはずで、ここもまた、女性にとってチャンスに満ちた分野ということになるのでしょう。しかも、女性ならではの配慮が効果を生む分野でもあると思います。

アリゾナ州にラ・ポサーダというホテルがあります。このホテルのがっしりとした木製のドアには“Enter in Silence”（静かにお入りください）と人を制すような札が掲げてあり、ホテルから出る際は“Depart in Peace”（平穏にお帰りください）という札を見ることになるのですが、なかに入ると、広がる空間がその静謐を受け入れ、外に出るときは静穏に外界に戻ることができるのだそうです。このホテルを設計したのは、メアリー・コルターという女性建築家です。日本にも、そうした女性の配慮がほどこされた建築や商品やサービスはすでにありますし、これからも増えていくはずです。なんといっても、「商売になる」のですから。

しかし、「商売になる」という視点からだけでなく、女性がますます活躍する世の中になったことは、同じジェンダーに属する一人としては諸手を挙げて歓迎します。本書はアメリカをフィールドとしていますが、女性の影響力が増しているという点では、日本も状況は同じだと思います。これは、同じジェンダーに属する諸先輩方が積み重ねてきた苦労と勝ち取ってきた成果なのでしょう。

最後に、本書を訳すにあたってはたくさんの方々にアドバイスをいただきました。なかでも、いつも大きな励ましと示唆を与えてくれる石田城孝さんと、本書を訳す機会を提供してくれた上、最後までサポートしてくださった早川書房をはじめ関係者の方々に、心から感謝の気持ちをお伝えしたいと思います。

二〇一一年六月

HarperCollins, 1997.
Stern, Remy. *But Wait... There's More*. New York: HarperCollins, 2009.
Thomas, Dana. *Deluxe*. New York: The Penguin Press, 2007.（ダナ・トーマス『堕落する高級ブランド』実川元子訳／講談社）

参考文献

Adamson, Allen P. *BrandSimple*. New York: Palgrave Macmillan, 2006.

Ashenburg, Katherine. *The Dirt on Clean*. New York: North Point Press, 2007.（キャスリン・アシェンバーグ『図説　不潔の歴史』鎌田彷月訳／原書房）

Barletta, Marti. *PrimeTime Women*. New York: Kaplan Publishing, 2007.

Benson, April Lane. *I Shop, Therefore I Am*. Northvale, NJ: Jason Aronson Inc., 2000.

Bevan, Judi. *The Rise and Fall of Marks & Spencer*. London: Profile Books, 2001.

Bosshart, David. *Cheap*. London: Kogan Page Limited, 2006.

Brown, Mary, and Carol Orsborn. *Boom*. New York: AMACOM, 2006.

Colomina, Beatriz. *Sexuality & Space*. New York: Princeton Architectural Press, 1992.

Gavenas, Mary Lisa. *Color Stories*. New York: Simon & Schuster, 2002.

Mooney, Kelly P. with Laura Bergheim. *The Ten Demandments*. New York: McGraw-Hill, 2002.

Newline, Kate. *Passion Brands*. New York: Prometheus Books, 2009.

Popcorn, Faith. and Lys Marigold *Eveolution*. New York: Hyperion, 2001.（フェイス・ポップコーン、リース・マリゴールド『彼女が買うわけ、会社が伸びるわけ　女性を魅きつけるマーケティング８つの法則』野中邦子訳／早川書房）

Roche, Daniel. *A History of Everyday Things*. Cambridge, MA: Cambridge University Press, 2000.

Rutes, Walter A., Richard H. Penner, and Lawrence Adams. *Hotel Design, Planning, and Development*. New York: W.W. Norton & Company, 2001.

Sandoval-Strausz, A. K. *Hotel: An American History*. New Haven, CT: Yale University Press, 2007.

Scranton, Philip. *Beauty and Business*. New York: Routledge, 2001.

Smith, J. Walker, and Ann Clurman. *Rocking the Ages*. New York:

彼女《かのじょ》はなぜ「それ」を選《えら》ぶのか?
世界で売れる秘密

2011年7月10日　初版印刷
2011年7月15日　初版発行

＊

著　者　パコ・アンダーヒル
訳　者　福《ふく》井《い》昌《しょう》子《こ》
発行者　早川　浩

＊

印刷所　株式会社亨有堂印刷所
製本所　大口製本印刷株式会社

＊

発行所　株式会社　早川書房
東京都千代田区神田多町2―2
電話　03-3252-3111（大代表）
振替　00160-3-47799
http://www.hayakawa-online.co.jp
定価はカバーに表示してあります
ISBN978-4-15-209211-3　C0063
Printed and bound in Japan
乱丁・落丁本は小社制作部宛お送り下さい。
送料小社負担にてお取りかえいたします。

ハヤカワ・ノンフィクション

それでもなお、人を愛しなさい

――人生の意味を見つけるための逆説の10カ条

The Paradoxical Commandments

ケント・M・キース
大内博訳

46判並製

ビジネスマンの永遠のバイブル！

人は不合理で、わからず屋で、わがままな存在だ。それでもなお、人を愛しなさい――マザー・テレサからロック・スターまで、世界中の人々を励まして止まない珠玉の名著の新装版。胸に染みるシンプルな十カ条が、よりよく生きる道を指し示す。解説／佐々木常夫

ハヤカワ・ノンフィクション

なぜ人はショッピングモールが大好きなのか

——ショッピングの科学ふたたび

Call of the Mall

パコ・アンダーヒル

鈴木主税訳

46判上製

モールから駅ビルまで、売り伸ばす秘策教えます!

今や人々の新しい生活の場となったモール。「小売の人類学者」と称される著者と一緒にモール中を探検し、人々の行動を仔細に観察するとき、駐車場やトイレから各店舗まで、至る所に売上げ倍増のヒントが見えてくる。『なぜこの店で買ってしまうのか』姉妹篇。

なぜこの店で買ってしまうのか［新版］

――ショッピングの科学

パコ・アンダーヒル／鈴木主税・福井昌子訳

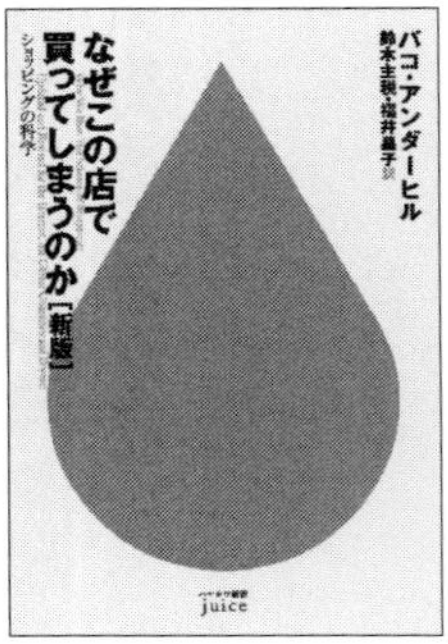

世界的ベストセラーを全面改稿！ やっぱり売れる店にはワケがある。

客の動きを仔細に観察・記録・分析すると、買い物におけるヒトの習性が見えてくる。銀行の前は足早に通り過ぎる、鏡の前では立ち止まる、女性は男連れだと買い物時間が短くなる、人はとにかくリストが大好きだ……徹底したフィールドワークから導き出される瞠目のアドバイスでスタバからＧＡＰまでをトップに押し上げた著者の代表作。

006